GW00392524

Universale Economica Feltrinelli

GIUSEPPE TOMASI DI LAMPEDUSA

I RACCONTI

Feltrinelli

Prima edizione nella “Biblioteca di letteratura” giugno 1961
Prima edizione nell’ “Universale Economica” luglio 1972
Prima edizione riveduta e ampliata, conforme ai manoscritti originali
in “Impronte” novembre 1988
Nuova edizione riveduta e ampliata nell’ “Universale Economica” aprile 1993
Terza edizione marzo 1996

ISBN 88-07-81237-1

PREFAZIONE

1988

Il *Gattopardo* apparve 30 anni fa nell'autunno del 1958. Rapido il successo, sostenuto dal consenso quasi costante delle recensioni e ancor più delle vendite, culminato a otto mesi dall'apparizione del libro con l'assegnazione nel 1959 del Premio Strega. Il riconoscimento, fatto raro, era stato assegnato ad un'opera che ancora regge sul mercato librario. L'aureola di un premio letterario è di per sé effimera, e lo Strega non fa eccezione, soltanto alcune punte restano in circolazione dopo l'impatto del primo consenso, e il duraturo favore dei lettori si sovrappone alle analisi critiche della prima ora. Se un libro conserva un posto nel cuore del pubblico, e nel caso del *Gattopardo* esso è rimasto nel cuore dei lettori del mondo intero, significa che i tratti apparsi all'inizio contingenti, legati alla storia personale dell'autore, del suo ambiente e del suo paese, sono stati invece suscettibili di innescare nei lettori un potenziale di partecipazione imprevedibile, significa che tanti uomini di diversa origine ed esperienza hanno potuto riconoscersi nei temi e negli eroi del romanzo, temi generali per ogni uomo: il destino e senso della vita, il suo mutare nell'arco fra la spinta alla conquista che contraddistingue la gioventù e la rassegnazione, la coscienza della vanità di tali sforzi, che accompagna mestamente l'età matura e l'approssimarsi della morte.

Giuseppe Tomasi di Lampedusa è conosciuto per un romanzo (*Il Gattopardo*), una raccolta di quattro racconti (*I Racconti*), un saggio su Stendhal (*Lezioni su Stendhal*), una antologia disorganica di lezioni sulla letteratura francese (*Invito alle lettere francesi del Quattrocento*). Due libri hanno ricostruito la sua personalità e biografia: *Giuseppe Tomasi di Lampedusa* di Andrea Vitello e *Lettere a Licy* di Caterina Cardona. E malgrado l'acribia con cui Andrea Vitello ha raccolto ed illustrato i documenti della sua vita, Tomasi resta tuttora un personaggio sfuggente.

Né sono mancati appunti sulla autenticità dei testi dati alla stampa, nel caso del *Gattopardo* rivelatisi sostanzialmente infondati, come si è potuto osservare dopo l'edizione condotta sul manoscritto del 1957. Quanto al resto del lascito, umano e letterario, esso si presenta in questo scrittore di tarda vocazione singolarmente intrecciato, una commistione di esperienze culturali e di desideri, memorie felici o delusioni, passioni inappagate che covano sotto le ceneri, tratti che rendono commossa la più arida ricognizione ed elencazione. Questo altro lascito è rimasto fino ad oggi celato, sia per la diffidenza della vedova a mostrare i materiali ad occhi indiscreti, sia perché il contatto fra vita ed opera letteraria è in Tomasi talmente personalizzato da indurre alla pietà per una vita avara di soddisfazioni. Coloro che lo hanno amato hanno ritenuto opportuno rispettare la personalità di un uomo il cui riserbo tradiva anche la problematicità di un inserimento nel proprio tempo.

A trent'anni dall'esordio pubblico il costante successo dell'opera induce però ad un ripensamento. La particolarità dello scrittore dipende anche dalla sua propensione a confondere il personale col pubblico, e proprio questo privato può esser la chiave interpretativa di un tratto singolare di Tomasi di Lampedusa: la cultura quale griglia per meglio articolare e analizzare le vicende individuali, per rendere appieno il gioco delle passioni, donde quella sensazione potente, efficace di amore rifiutato, la plasticità della dialettica desiderio frustrazione che è chiave e magia della sua opera.

I Racconti, quattro pezzi di diversa provenienza, curati e presentati da Giorgio Bassani nel 1961 sotto questo titolo, furono pubblicati da dattiloscritti redatti sotto dettatura della vedova dello scrittore, Alessandra Wolff Stomersee. La ricerca dei materiali originali ha consentito, almeno fino ad ora, di rintracciare soltanto l'autografo integrale del "racconto" intitolato dai curatori *I luoghi della mia prima infanzia*. Mancano gli autografi di *Il mattino di un mezzadro* e di *La gioia e la legge*. Quanto a *Lighea* è stato rinvenuto un foglio staccato autografo che contiene un frammento dell'incontro meraviglioso sulle rive dello Jonio. Il frammento rivela una prima stesura poi ampiamente rielaborata. Altra fonte testuale è una registrazione su nastro letta dall'autore, che comprende quattro quinti del testo.

I quattro pezzi furono scritti nel seguente ordine cronologico: *I luoghi della mia prima infanzia* (estate 1955), *La gioia e la legge* (autunno 1956), *Lighea* (inverno 1956-57), *Il mattino di un mezzadro* (inverno primavera 1957). Essi vengono qui ripubblicati nell'ordine indicato e con i seguenti titoli: *Ricordi d'infanzia* (titolo dell'autografo), *La gioia e la legge* (non è al momento possibile stabilire se il titolo fosse diverso), *La sirena* (titolo adoperato dall'autore), *I gattini ciechi* (titolo previsto dall'autore per il suo secondo romanzo). Il lascito pubblicato sotto il titolo *Racconti* è quindi formato da una ricognizione della memoria, da due novelle e dal primo capitolo di un romanzo.

Riferisco dapprima sui tre pezzi di narrativa e tratterò infine più diffusamente della memoria che merita una maggiore attenzione.

Non potrei affermare con certezza se *La gioia e la legge* fosse stata battuta a macchina vivente l'autore, presumo di no, visto che Francesco Orlando sul finire del 1956 si era allontanato da Lampedusa ed egli è il solo dattilografo di cui questi si sia servito (Orlando redasse sotto dettatura la versione dattiloscritta del *Gattopardo*). Inoltre la macchina da scrivere in possesso di Lampedusa era inservibile. Il racconto fu scritto nell'autunno del 1956, quasi un diversivo dopo il rifiuto del *Gattopardo* da parte della Mondadori. Nel lascito lampedusiano esso mi appare il pezzo più letterario, nel senso di un'opera estranea alle passioni private dell'autore. Il dattiloscritto pervenuto alla Feltrinelli fu redatto da Olga Bianchieri, sorella della vedova Lampedusa. Sembra del tutto attendibile, salvo qualche svista, da imputare al fatto che redattrice e curatrice non adoperavano la propria madrelingua. Le rettifiche della presente edizione sono sporadiche e chiaramente dipendenti da errori materiali. Quanto al titolo, mi pare di ricordare, ma non posso affermarlo con certezza come nel caso della *Sirena*, che l'autore lo designasse *Il panettone*, secondo una tradizione novellistica per cui il titolo è desunto dall'oggetto a contendere, ad es. *La giara* o *Il cappotto*. È il pezzo meno personale della produzione letteraria di Lampedusa, dal che il minore consenso o interesse, che ha portato fra l'altro alla sua esclusione dalla traduzione dei racconti in lingua inglese.

La Sirena fu scritta a cavallo fra il 1956 ed il 57. Il frammento autografo di una prima stesura è riportato in appendice. Le differenze sono rilevanti, la lingua ha un'impronta dialettale e meno aulica, la grafia è compressa dalla urgenza dello scrivere e dalla carenza di spazio, il tutto è compreso in un foglio di carta da lettere leggera. Il foglio è stato da me rinvenuto in una cartella contenente due dattiloscritti di Lucio Piccolo ed è custodito nella mia casa di Palermo.

Sulla fine del febbraio 1957 Giuseppe Tomasi venne a casa mia (io abitavo allora nel palazzo Mazzarino in via Maqueda) per registrare la *Sirena*. Era questo il titolo con cui indicava il racconto di cui era specialmente fiero. La mia fidanzata, Mirella Radice, mi aveva regalato per il compleanno (11 febbraio) il primo registratore della mia vita, il miglior Grundig allora in commercio. Giuseppe lesse l'intero racconto, ma nella prima parte, quella ambientata nel caffè, il microfono era troppo discosto e la voce immersa nel rumore di fondo. Questa parte venne cancellata, e la lettura inizia da "Credo che anche lui si fosse preso di un certo affetto per me": gli incontri fra il vecchio ed il giovane si svolgono ancora al caffè ma le loro relazioni si avviano a gran passi verso il disgelo.

Giuseppe leggeva da un manoscritto, l'accento palermitano della passata generazione, oggi quasi scomparso, e leggeva con intenzione, facendo comprendere le trame sottaciute. Aveva in comune con il cugino Lucio Piccolo il gusto della lettura recitazione. A Capo d'Orlando i cugini gareggiavano in letture poetiche e citazioni. E le letture del *Gattopardo* capitolo per capitolo e delle novelle davano all'autore il piacere di confrontarsi a pagina fresca con un piccolo auditorio. Il riscontro era più che altro intento a verificare la fedeltà dell'ambientazione, ma il principe aveva più volte avuto modo di apprezzare il silenzio ammirato che aveva accompagnato la lettura del capitolo in cui il principe di Salina entra nel regno dei più, quello *Schweigender Beifall* di cui Mozart riferisce a proposito delle prime esecuzioni della *Zauberflöte*. Né gli mancava un recupero caustico dalla tentazione di aver ceduto al sentimento. "Non vorrei far la figura del vecchio re di Tule – disse una volta – quel verso *Die Augen gingen ihm über*, in un contesto per altro sublime, è un tratto alla Bebbuzzo, ricorda le sue tonnellate di musica." Metteva così in guardia se stesso dalla tentazione delle lagrime a cui aveva ceduto il povero re nordico, dava una lezione di comportamento a Goethe, e burlava il buon amico Bebbuzzo Sgadari di Lo Monaco, critico musicale del "Giornale di Sicilia", il quale era un patito del trabocco sentimentale (il senso letterale del *Die Augen gingen ihm über*, le lagrime quale trabocco degli occhi) e cospargeva le sue recensioni di "tonnellate di musica" e "tonnellate di sentimento".

Di *Lighea*, come il racconto è stato intitolato dalla vedova, la Feltrinelli non conserva il dattiloscritto. La revisione è stata condotta su un testo edito sostanzialmente corretto, dando la preferenza, laddove vi fossero discordanze, alla registrazione. Si osservano anche qui alcuni errori, dipendenti da una errata interpretazione dell'autografo da cui Licy Lampedusa aveva tratto il dattiloscritto fornito alla Feltrinelli. "Canerino" per "cardellino", "ricci bradi" anziché "ricci boreali", etc. Ed ancora l'allitterazione, letta con compiaciuto vezzo retorico dall'autore, "il tuo sogno di sonno sarà realizzato" appare nell'edizione a stampa "la tua sete di sogno sarà saziata".

La lettura rivela collegamenti fra memorie sotterranee, almeno per chi come me ricorda altre letture. Le natiche di Anfitrite che affascinano il principe di Salina nella fontana del parco di Santa Margherita si legano nella nostalgia erotica ai glutei della sirena. Le lettere della madre di Giuseppe, Beatrice Mastrogiovanni Tasca di Cutò, indirizzate al figlio "volontario di un anno" ad Augusta nel 1916, rinvenute da David Gilmour fra le rovine del palazzo Lampedusa, rimandano ad esperienze reali del paesaggio jonico in cui si rende possibile l'incontro meraviglioso.

Il mattino di un mezzadro, titolo ideato dalla vedova per la prima edizione dei *Racconti*, è l'ultimo scritto di Lampedusa. Risale al marzo-aprile 1957. Sul finire di aprile fu diagnosticato il tumore polmonare di cui lo scrittore morì nel luglio successivo.

Il racconto è in verità l'inizio di un secondo romanzo, intitolato dall'autore *I gattini ciechi*. Come il *Gattopardo* anche questo romanzo avrebbe avuto i tratti del libello storico. Ad apertura incontriamo il vecchio Ibba, fondatore di una dinastia di nuovi latifondisti, non certo un mezzadro e tutt'al più di origine contadina. Il suo tratto crudele, volgare si contrappone alla mollezza degli aristocratici raccolti al Circolo Bellini. Il capitolo di presentazione è costruito per antitesi fra mondi e classi diverse, con raffigurazioni efficaci e brillanti. Felice la scena del Circolo dove Lampedusa mostra novità di invenzione, nulla del genere si incontra infatti nella letteratura siciliana ottocentesca. E viene in mente il motivo addotto da Verga per la sua impossibilità ad andare oltre nel progetto della *Duchessa di Leyra*: l'aristocrazia non è raffigurabile per stereotipi e la sua natura sfugge all'esperienza dello scrittore borghese.[1]

In questa introduzione non appare l'eroe del romanzo. Questi sarebbe stato il figlio di Batassano Ibba, ed argomento del romanzo, soggetto del libello socio-politico, l'emergere dopo l'Unità di una nuova classe agraria, i baroni di Garibaldi, più rozza ma con la stessa vocazione alla cecità di quella precedente. La incapacità di una vera evoluzione borghese, imprenditoriale della Sicilia, nell'arco 1860-1955, sarebbe stata ripercorsa nelle vicende del figlio Ibba, ricco baronello alla conquista di Palermo, e non privo di qualità morali, di interessi culturali ed artistici, avviato alla conquista sociale della capitale siciliana. Nel secondo dopoguerra le porte della società stanno per schiudersi al giovane Ibba, i suoi talenti civili stanno per essere apprezzati, quando sopraggiunge la riforma agraria, e lo sforzo di una dinastia si estingue come la vita di un gattino cieco, prima ancora di vedere la luce del successo.

È difficile individuare quale avrebbe potuto essere l'identificazione dell'autore con il protagonista, una personalità emergente per la quale è intuibile che avrebbe nutrito un misto di affetto e di repulsione, e d'altra parte è questo un quesito legittimo, perché secondo Lampedusa l'identificazione è una componente indispensabile della validità narrativa. La sua analisi dell'intera opera shakespeariana stabilisce pedantemente la possibile identificazione dell'autore ora con questo ora con quel personaggio teatrale. Per Lampedusa non si dà grande scrittore senza una reale capacità di partecipazione alla vita. *I gattini ciechi* sarebbero stati la sfida di Lampedusa a quanti lo costringono

[1] Lettera di Giovanni Verga al suo traduttore, Louis-Edouard Rod, del 14 luglio 1899.

nell'ambito del romanzo autobiografia, avrebbero indicato se lo scrittore, e di converso la sua vita, avevano una potenzialità di identificazione plurima e non costretta entro la esaltazione della memoria familiare. Già *La sirena* indica come il Gattopardo non fosse restio a cambiar pelle.

Come nel caso della *Sirena* anche del primo capitolo dei *Gattini ciechi* non è stato fino ad ora rinvenuto né l'autografo, né il dattiloscritto consegnato alla Feltrinelli. La revisione si è limitata a correggere "zuccuta" in "zuccata", un errore materiale dipendente dalla poca dimestichezza da parte della vedova col termine che indica in Sicilia la zucca bianca candita.

Fin qui le varianti testuali hanno peso relativo, possono esser valutate dettagli che non alterano sostanzialmente il testo. Il caso dei *Luoghi della mia prima infanzia*, come il pezzo è stato intitolato da Alessandra Tomasi di Lampedusa, è affatto diverso. Nel curare l'edizione di questo testo la vedova ha infatti avuto presenti due punti fondamentali: 1) evitare i riferimenti personali in un testo che è espressamente una memoria, quindi alterazione di nomi, luoghi e soppressione di interi aneddoti e ricordi. 2) Trasformare un testo pervenutoci sostanzialmente nella forma di una raccolta di appunti – la ricognizione di varie memorie felici e in particolare del tempo beato a Santa Margherita Belice che funge da studio per il balzo oltre il primo capitolo del *Gattopardo* – in una narrazione articolata, donde una diversa collocazione e ridistribuzione di varie parti del testo.

L'autografo dei *Ricordi d'infanzia* è contenuto in un blocco per appunti di medio formato a quadretti piccoli. Esso è custodito da Giuseppe Bianchieri, primogenito di Olga Wolff-Stomersee. Il titolo appare in basso a destra sulla copertina. La stesura è discontinua, fra un pezzo e l'altro vi sono a volte alcuni fogli bianchi. I pezzi sono quattro, il manoscritto li reca nel seguente ordine, premettendo questi titoli autografi: 1) *I ricordi* 2) *Introduzione* 3) *Infanzia - i luoghi* 4) *Infanzia - i luoghi - Le altre case* (e poco oltre) *Sorte di queste case* (più oltre) *Il viaggio*. Due indicazioni autografe invitano poi ad anteporre l'*Introduzione* ai *Ricordi* e ad inserire *Il viaggio* prima della descrizione della "casa" di Santa Margherita.

1) L'*Introduzione* espone propositi e motivazioni dell'opera progettata. Siamo a metà giugno del 1955. Lampedusa ha già limato il primo capitolo del *Gattopardo*, sembra abbia bisogno di prender fiato prima di proseguire. Emergono nelle due paginette della *Introduzione* i tratti commoventi di un dilettante incerto sul da farsi. Lo scrittore ha riletto *Henry Brulard* e si propone di emularne il "metodo... financo nel disegnare le 'piantine' delle scene principali". E conclude annunciando l'intento di voler "dividere queste *Memorie* in tre parti. La prima, *Infanzia*, condurrà sino alla mia frequentazione del Liceo. La seconda *Giovinezza* sino al 1925. La terza *Maturità* sino ad oggi, data in cui considero che cominci la vecchiaia."

2) *I ricordi* (scritti prima dell'*Introduzione*) frugano i primi ricordi, quelli per così dire anteriori alla coscienza cronologica della propria personalità. Subito si erge prepotente il desiderio di ripossedere la "casa", il palazzo Lampedusa distrutto nel bombardamento del 5 aprile 1943. E il ricordo si appoggia a due "piantine", la stanza da toletta della madre e una pianta generale del piano nobile.

Dopo *I ricordi* seguono fogli bianchi e un presumibile stacco temporale dalla stesura della *Introduzione*.

3) *Infanzia - I luoghi*. Il progetto annunziato nel-

l'*Introduzione* prende corpo. Siamo nella prima sezione, *Infanzia*, titolo che verrà premesso ai due soli luoghi presi in considerazione. Il primo è il palazzo Lampedusa. La descrizione della casa amatissima è minuta, addirittura pedante. Quasi Giuseppe volesse recuperarla angolo per angolo e pezzo per pezzo. I singoli ambienti scorrono davanti a noi inserendosi nella piantina disegnata dall'autore, ciascuno carico di un proprio significato affettivo.

4) *Infanzia - I luoghi - Le altre case*. Siamo sempre nella sezione *Infanzia*. Giuseppe elenca le "dipendenze" in campagna che aumentano il fascino della "casa" madre: S. Margherita Belice, la villa Cutò a Bagheria, il palazzo di Torretta, la casa di campagna a Raitano. Altro sottotitolo *Sorte di queste case*. E lo scrittore passa ad illustrare il palazzo Filangeri di Cutò a Santa Margherita Belice. La lunga e poetica descrizione si conclude con l'omaggio alla memoria di Onofrio Rotolo, l'amministratore dei Cutò a Santa Margherita. Qui l'autore torna a ritroso e dedica sei pagine al viaggio per Santa Margherita (titolo autografo *Il viaggio*) e fornisce un richiamo per il suo inserimento prima della descrizione del palazzo margaritano.

Terminato *Il viaggio* la memoria riprende con la ricognizione di altri oggetti pregni di tensioni affettive: la boîte à musique, i grandi armadi misteriosi che celano antichi tovagliati o settecenteschi e desueti materiali di cancelleria. Poi spazia sulle gite al casino della Venaria e altrove nei dintorni della fatata residenza agreste, traccia infine alcuni ritratti di notabili margaritani, e termina con le prime lezioni di lettura impartite al principino di otto anni da una rustica ed efficiente maestra elementare. A questo punto il manoscritto s'interrrompe.

Chi si stimi un amico di Giuseppe Tomasi, e molti

suoi lettori possono considerarsi tali, non mancherà di restar commosso dalla manifesta, violenta affettività del documento. I *Ricordi d'infanzia* svelano più dell'opera letteraria vera e propria la personalità emotiva dell'autore, il decantarsi dell'uomo nello scrittore. Essi venivano incontro a due esigenze primarie: a) ritrovare gli oggetti amati e ahimè perduti b) fornire un materiale di base per la parte centrale del *Gattopardo*. Lo stato magmatico del materiale, accavallato in successive colate, era stato rivisto dall'autore stesso. Ed ho già indicato come egli avesse indicato un ordine del materiale diverso da quello che appare nel manoscritto. Il testo presenta inoltre varie biffature. Questi passi sono stampati in corsivo nella presente edizione. In particolare le cancellature ricorrono nella minuziosa ricognizione topografica del palazzo Lampedusa. Esse risalgono ad una rilettura dell'autore stesso, tesa a rendere l'elaborato più scorrevole, magari letterario, censurandone quindi l'evidente propensione alla ricognizione privata. Altre volte qualche osservazione è stata tagliata perché sarebbe potuta risultar dolorosa per un familiare. Ad esempio il dispettoso rifiuto per la casa di via Butera ("non è la mia casa"), o il suo riferire la bizzarra opinione ortografica dello zio Pietro Tomasi della Torretta – l'aneddoto che questi si stupisse della grafia "repubblica" con due "b" rientra nella "moquerie" malvagia che Giuseppe aveva in comune con Lucio Piccolo, e che era fondamentalmente il tratto Cutò del loro carattere. Tanto Alessandro Tasca Filangeri di Cutò, quanto le sue sorelle Maria Tasca Filangeri e Beatrice Tomasi di Lampedusa si son lasciati alle spalle una vasta aneddotica di battute di questo tipo, una fama di lingue taglienti che si accompagnava all'antipatia delle loro vittime. "Wicked jokes" verso i familiari più stretti e gli amici più cari di cui io ero sempre a parte, e che costituiva, anche, una parte della nostra amicizia.

Altre volte ancora si può sospettare che la biffatura si riferisca al travaso di qualche frase nel *Gattopardo*. E in un caso questa ipotesi è del tutto attendibile. Il passo del romanzo in cui si narra come don Onofrio avesse conservato il bicchierino di rosolio lasciato semipieno dalla principessa (*Il Gattopardo*, 1969, p. 98) appare nei *Ricordi* biffato più volte, tanto da non poter esser testualmente ricostruito. Ma perché rivedere testi di cui si dichiarava esplicitamente l'uso privato, e tanto più quando si è affatto distanti, come lo era Giuseppe nel 1955, da una vita letteraria pubblica? La spiegazione possibile deve rifarsi al senso di gioco, di fantasia onirica che accompagna l'irrompere di una creatività tardiva. Giuseppe è a tu per tu con i grandi della letteratura e tralascia il particolare di non essere ufficialmente un letterato, tratto questo anche eminentemente aristocratico, perché l'artista aristocratico non si considera inserito in una categoria professionale come l'artista borghese. D'altra parte il tratto infantile del ragazzo che crea, presumendo di stabilire un contatto con il pubblico e il conseguente successo, è all'origine di ogni vocazione artistica, e non importa se questa emerga in età avanzata. Anche il corso di *Letteratura inglese*, dato per incenerito al destinatario, Francesco Orlando,[2] è stato da Tomasi invece riletto ed ordinato in cartelle, anche se la sua ragione di adulto dichiaratamente rifiutava di fondare, più che altro, sul proprio gusto un'opera di taglio didattico per non dire scientifico.

I Ricordi d'infanzia incensurati rivelano al lettore amico il processo della felicità in un uomo di 59 anni.

[2] Francesco Orlando, *Ricordo di Lampedusa*, Scheiwiller, Milano 1963, p. 24.

Ricognizione di un passato familiare e siciliano di cui è veramente scomparso il ricordo, e di cui egli è un emozionato e sopravvissuto depositario. Il gioco della superiorità aristocratica, del privilegio si esprime, oltre che in nostalgia, in una fine e sottaciuta malizia verbale senz'ombra di violenza, che si accompagna ad un'aneddotica familiare ricca ed amata, e questo gioco restituisce al soggetto la propria identità smarrita. L'avvelenamento al petrolio di Giovannino Cannitello era ad esempio un "joke" preferito degli incontri a Capo d'Orlando con Lucio Piccolo, e Lucio, seguendo il suggerimento stizzito del dott. Monteleone, si abbandonava alla mimica dello stoppino che scendeva nell'esofago del suicida per amore, fino al momento del dargli fuoco. Altro argomento preferito dei cugini erano gli aneddoti su Alessio Cerda, del quale, purtroppo, a parte l'esilarante descrizione in "uniforme molle", Giuseppe si è riservato di parlare diffusamente in un prosieguo delle memorie che non verrà mai scritto.

Oltre che un ritorno alla luce, all'identità, dopo lo smarrimento di una emarginazione dovuta a vicende e personali e, nel contesto siciliano, collettive della propria classe, *I ricordi d'infanzia* ci schiudono anche il laboratorio dello scrittore al tempo del *Gattopardo*. Come ho indicato nella *Premessa* all'edizione del *Gattopardo* conforme al manoscritto del 1957 (Feltrinelli 1969), il primo capitolo del *Gattopardo* avrebbe dovuto racchiudere nell'arco di 24 ore l'intera materia del romanzo. Il capitolo iniziale fu rivisto con cura, ma anche se arricchito dalla tecnica del "flash-back" (il colloquio con Ferdinando II), indubbiamente non esauriva l'apologo siciliano e familiare che il principe si era proposto. *I ricordi d'infanzia* prendon corpo a questo punto. L'opera letteraria langue senza il supporto dell'esperienza. Per proseguire è necessario riportarla alla vita. È un tratto che *I ricordi* delineano progressivamente. L'inizio è doloroso, personalizzato (la ricognizione di "casa" Lampedusa), ma giunti alla ricognizione di Santa Margherita il timbro del ricordo lascia trasparire come la consolazione della memoria abbia la meglio sulla disperazione della perdita. Si avverte inoltre una scrittura spedita, che lascia da parte alcuni particolari riservandosi di svilupparli successivamente. Ad es. la descrizione della grande anticamera di Santa Margherita è interrotta da un appunto elencazione: "(Campieri - berretti, divise, fucili, lepri)", appunto che verrà poi sviluppato nella descrizione della milizia privata che accompagna don Onofrio nel porgere il benvenuto al principe (*Il Gattopardo*, 1969, p. 78). Oppure durante il viaggio, dopo la frase "Il polverone si alzava", compare nei *Ricordi* un: "[Anna I, che pure era stata in India]", osservazione che si trasforma a p. 63 in: "Mademoiselle Dombreuil... memore degli anni passati in Algeria... andava gemendo: 'Mon Dieu, mon Dieu, c'est pire qu'en Afrique!' " E la contaminazione della memoria è ripresa poche righe più sotto nel: "Tutti erano bianchi di polvere fin nelle ciglia, le labbra o le code." Indizi questi di una stesura forse contemporanea dei *Ricordi* e del capitolo II del romanzo.

D'altra parte *I ricordi* straripano per ogni dove nel romanzo. I luoghi di Santa Margherita pressocché per intero, con la loro toponomastica; ed ogni ambiente di pregio del *Gattopardo* ha un suo antefatto nei *Ricordi*. Anche le zone del palazzo Ponteleone che destano la simpatia dell'autore hanno un antecedente negli ambienti settecenteschi di "casa" Lampedusa. Il segno positivo, collegato all'oggetto riesumato, è il filo d'Arianna di queste trasposizioni dalla memoria alla fantasia. La costruzione letteraria del *Gattopardo* fa subire alla descrizione romanzesca l'accelerazione tipica del sogno di desiderio. La tensione passionale è prodiga di contaminazioni. Quel che conta nel deposito della memoria si riversa dai luoghi amati nell'"orgoglioso scrigno" della sala da ballo dei Ponteleone (pp. 293-294). Il romanzo assume così il significato della compensazione per quello che la vita non ha saputo offrire o conservare. Il cammino verso una felicità che la vita aveva negato, e l'invito alla bella morte guidano la metamorfosi della ricognizione privata in una esperienza esemplare e degna di esser vissuta. Una soluzione personale, mediata artisticamente, sospesa nell'arco esistenziale e senza presunzioni metafisiche, del problema posto all'inizio del catechismo di Pio X – Perché Dio ci ha creati? – una soluzione di cui tanti lettori hanno avvertito il fascino, e in cui risiede, forse più che altrove, la perdurante fortuna del libro.

Gioacchino Lanza Tomasi

RICORDI D'INFANZIA

INTRODUZIONE

Ho riletto in questi giorni (metà di Giugno 1955) "Henry Brulard". Non lo leggevo dall'ormai lontano 1922. Si vede che allora mi trovavo ancora sotto l'ossessione del "bello esplicito" e dell'"interesse soggettivo", e ricordo che il libro non mi piacque.

Adesso non posso dar torto a chi quasi lo giudica il capolavoro di Stendhal. Vi è una immediatezza di sensazioni, una evidente sincerità, un ammirevole sforzo per spalar via gli strati successivi dei ricordi e giungere al fondo. E quale lucidità di stile! E quale ammasso di impressioni tanto più preziose quanto più comuni!

Vorrei cercare di fare lo stesso. Mi sembra addirittura un obbligo. Quando ci si trova sul declino della vita è imperativo cercar di raccogliere il più possibile delle sensazioni che hanno attraversato questo nostro organismo. A pochi riuscirà di fare così un capolavoro (Rousseau, Stendhal, Proust), ma a tutti dovrebbe esser possibile di preservare in tal modo qualcosa che senza questo lieve sforzo andrebbe perduto per sempre. Quello di tenere un diario o di scrivere a una certa età le proprie memorie dovrebbe essere un dovere "imposto dallo stato": il materiale che si sarebbe accumulato dopo tre o quattro generazioni avrebbe un valore inestimabile: molti problemi psicologici e storici che assillano l'umanità sarebbero risolti. Non esistono memorie, per quanto scritte da personaggi insignificanti, che non racchiudano valori sociali e pittoreschi di prim'ordine.

Lo straordinario interesse che destano i romanzi di De Foe consiste nel fatto che sono quasi dei diari, geniali benché apocrifi. Pensate un po' cosa sarebbero quelli genuini? Immaginate cosa sarebbe il diario di una ruffiana parigina della Régence o i ricordi del cameriere di Byron durante l'epoca veneziana?

Cercherò di aderire il più possibile al metodo di "Henry Brulard", financo nel disegnare le "piantine" delle scene principali.

Ma non posso essere d'accordo con Stendhal sulla "qualità" del ricordo. Lui interpreta la sua infanzia come un tempo in cui subì tirannia e prepotenza. Per me l'infanzia è un paradiso perduto. Tutti erano buoni con me, ero il Re della casa. Anche personaggi che poi mi furono ostili allora erano "aux petits soins".

Quindi il lettore (che non ci sarà) si aspetti di esser menato a spasso in un Paradiso Terrestre e perduto. Se si annoierà, non m'importa.

Vorrei dividere queste "Memorie" in tre parti. La prima, "Infanzia", condurrà sino alla mia frequentazione del Liceo. La seconda "Giovinezza" sino al 1925. La terza "Maturità" sino ad oggi, data in cui considero che cominci la vecchiaia.

I ricordi dell'infanzia consistono, presso tutti credo, in una serie di impressioni visive molte delle quali nettissime, prive però di qualsiasi nesso cronologico.

Fare una "cronaca" della propria infanzia è, credo, impossibile: pur adoperando la massima buona fede si verrebbe a dare una impressione falsa spesso basata su spaventevoli anacronismi. Quindi seguirò il metodo di raggruppare per argomenti, provandomi a dare una impressione globale nello spazio piuttosto che nella successione temporale. Parlerò degli ambienti della mia infanzia, delle persone che la circondarono, dei miei sentimenti dei quali non cercherò "a priori" di seguire lo sviluppo.

Posso promettere di non dire nulla che sia falso. Ma non vorrò dire tutto. Riservo a me il diritto di mentire per omissione.

A meno che non cambi idea.

...ma anche da due balconi opposti, ri...
...o il pavimento enquanto che separava
...altro di un cubiletto interno. La ...
... forma "haricot" ( ) con il p...
...rive una staffa, e con le gamb...
... mulatto bianco, era pronto di ...

I RICORDI

Uno dei più vecchi ricordi che mi sia possibile di precisare nel tempo, perché si riferisce a un fatto storicamente controllabile, risale al 30 Luglio 1900, quindi al momento in cui io avevo qualche giorno più di 3 anni e mezzo.

Mi trovavo insieme a mia Madre e alla sua cameriera (probabilmente Teresa, la torinese) nella stanza di toletta. Era questa una stanza più lunga che larga che prendeva luce da due balconi opposti, situati sui lati stretti, prospicienti l'uno il giardinetto angusto che separava la nostra casa dall'Oratorio di S. Zita, l'altro un cortiletto interno. La tavola di toletta che era a forma "haricot"[1] con il piano superiore in vetro sotto il quale traspariva una stoffa rosa, e con le gambe raccolte in una specie di sottana di merletto bianco, era posta dinanzi al balcone che dava sul giardinetto e su di essa vi era, oltre alle spazzole ed altri aggeggi, un grande specchio con cornice anch'essa di specchio decorata con stelle ed altri ornamenti di cristallo che mi piacevano assai.

[1] Nel manoscritto la forma della tavola di toletta è indicata da un disegno. (Vedi pag. a fronte)

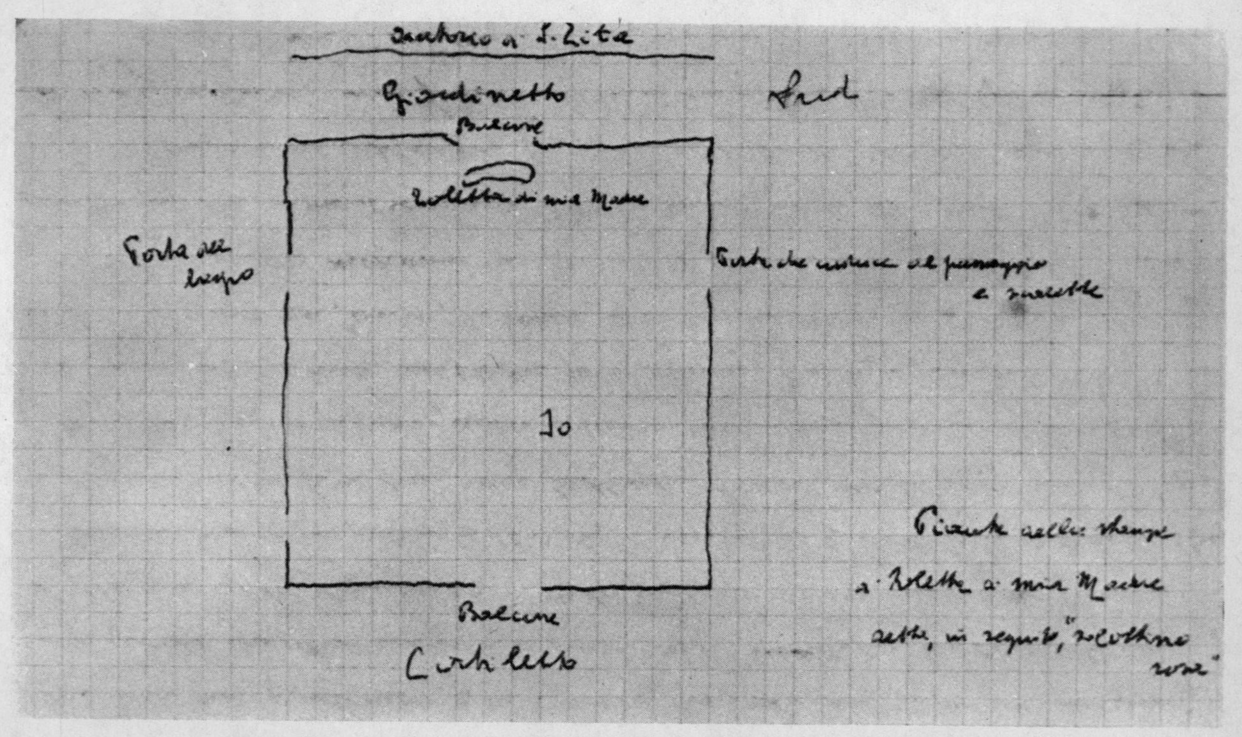

Pianta della stanza di toletta di mia Madre detta, in seguito, "salottino rosa".

Era la mattina, verso le 11, credo, e vedo la grande luce di estate che entrava dalla finestra con i battenti aperti, ma le persiane chiuse.

Mia Madre si pettinava, aiutata dalla cameriera, ed io non so cosa facessi, seduto per terra nel centro della stanza. Non so se fosse con noi anche la mia bambinaia, Elvira, la senese, ma credo di no.

Ad un tratto sentiamo dei passi affrettati che salgono la scaletta interna che comunicava con l'appartamentino di mio Padre che si trovava al mezzanino inferiore proprio sotto di noi, ed egli entra senza bussare e dice una frase in tono concitato. Ricordo benissimo l'accento di quello che disse, ma non le parole né il senso di esse.

"Vedo" invece ancora l'effetto che esse producono: mia Madre lasciò cadere la spazzola d'argento a manico lungo che teneva in mano, Teresa disse "Bon Signour!", e tutta la stanza si trovò costernata.

Mio Padre era venuto ad annunziare l'assassinio di Re Umberto avvenuto a Monza la sera precedente, il 29 Luglio 1900. Ripeto che "vedo" tutte le striature di luce e di ombra del balcone, che "odo" la voce eccitata di mio Padre, il rumore della spazzola che cade sul vetro della toletta, l'esclamazione piemontese della buona Teresa, che "ri-sento" il senso di sgomento che c'invase tutti. Ma tutto questo rimane personalmente staccato dalla notizia della morte del Re. Il senso per così dire storico mi venne detto dopo ed esso serve a spiegare la persistenza della scena nella mia memoria.

Un altro dei ricordi che posso bene individuare è quello del terremoto di Messina (28 Dicembre 1908). La scossa fu avvertita molto bene a Palermo ma io non me ne ricordo; credo che non interruppe il mio sonno. "Vedo" però nettamente il grande orologio a pendolo inglese di mio nonno, che allora era posto, incongruamente, nella grande sala d'inverno, fermo alla fatale ora di 5.20, e sento uno dei miei zii (credo Ferdinando che andava matto per l'orologeria) spiegarmi che si era fermato per il terremoto della notte scorsa. Poi ricordo che nella serata, verso le 7 e $^{1}/_{2}$, mi trovavo nella stanza da pranzo dei miei nonni (io assistivo al loro pranzo spesso, perché esso aveva luogo prima del mio) quando un mio zio, probabilmente lo stesso Ferdinando entrò con un giornale della sera, che annunziava "Gravi danni e parecchie vittime a Messina per il terremoto di stamane."

Parlo della "stanza da pranzo dei miei Nonni", ma dovrei dire di mia Nonna, perché mio Nonno era morto da un anno e un mese.

Questo ricordo è visualmente assai meno vivace del primo, invece esso è dal punto di vista della "cosa avvenuta" assai più preciso.

Qualche giorno dopo giungeva da Messina mio cugino Filippo che nel terremoto aveva perduto il padre e la madre. Egli andò ad alloggiare dai miei cugini Piccolo *insieme ad un suo cugino Adamo*, e ricordo come io andassi dai Piccolo a vederlo in una squallida giornata di pioggia invernale. Ricordo che aveva con sé una macchina fotografica (di già!) che aveva avuto cura di prendere con sé fuggendo dalla sua casa di via della Rovere in rovina, e come su un tavolo davanti una finestra disegnasse delle sagome di navi da guerra, discutendo con Casimiro del calibro di cannoni e della posizione delle torrette; attitudine sua di distacco fra le orribili sventure che lo avevano colpito che venne già allora criticata in famiglia ma attribuita caritatevolmente allo "shock" (allora si diceva "impressione") subito dal disastro e che si diceva comune a tutti i superstiti messinesi. In seguito essa venne più giustamente messa a conto di quella sua freddezza di carattere che si esalta soltanto dinanzi a quistioni tecniche come appunto la fotografia e le torrette delle prime "dreadnoughts".

Ricordo anche il dolore di mia Madre quando parecchi giorni dopo giunse notizia del ritrovamento del cadavere di sua sorella Lina e del cognato. Vedo mia Madre singhiozzare seduta in una grande poltrona nel Salone Verde nella quale nessuno si sedeva mai (*quella stessa però nella quale "vedo" seduta mia bisnonna*), ricoperta di una corta mantellina di "astrakan moiré". Grandi carri militari passavano per le strade per raccogliere indumenti e coperte per i profughi; uno di essi passò anche per via Lampedusa e da un balcone di casa nostra mi fecero tendere a un soldato che stava all'impiedi sul carro e quasi era al livello del balcone, due coperte di lana. Il soldato era di artiglieria con la bustina bleu filettata di arancione; ne vedo ancora la faccia rubiconda e sento come dice, con accento emiliano, "Grazzie, ragazzo". Ricordo anche come si andasse dicendo che i profughi che erano alloggiati dappertutto e anche nei palchi dei teatri si conducessero fra di loro "in modo molto indecente" e mio Padre che diceva sorridendo "hanno il desiderio di rimpiazzare i morti" – allusione che comprendevo benissimo.

Di mia zia Lina, morta nel terremoto (la cui fine aprì la serie delle morti tragiche fra le sorelle di mia Madre che offrono il campione dei tre generi di morte violenta, la disgrazia, l'omicidio e il suicidio) non conservo nessun netto ricordo. Essa veniva raramente a Palermo; ricordo invece il marito, che aveva due occhi vivacissimi dietro gli occhiali e una barbetta brizzolata e in disordine.

Un'altra giornata è rimasta bene impressa nella mia memoria: non posso precisarne la data che fu però certamente di molto anteriore al terremoto di Messina, anzi credo venne poco dopo la morte di re Umberto. Eravamo ospiti dei Florio nella loro villa di Favignana, in piena estate. Ricordo che Erica, la bambinaia, venne a svegliarmi più presto del solito, verso le 7, mi passò in fretta una spugna con acqua fredda sul viso e poi mi vestì con grande cura. Fui trascinato abbasso, uscii da una porticina laterale sul giardino, e poi mi hanno fatto risalire sulla veranda principale d'ingresso alla villa che guardava sul mare ed alla quale si accedeva da una scalinata di sei o sette scalini. Ricordo il sole accecante di quella mattinata di Luglio od Agosto. Sulla veranda, che era riparata dal sole da grandi tende di tela arancione che il vento di mare gonfiava e faceva sbattere come vele (ne sento lo schioccare) erano sedute su sedie di vimini mia Madre, la signora Florio (la "divina beltà" Franca) ed altre persone. Al centro del gruppo si trovava seduta una vecchissima signora, assai curva e con un naso adunco, avvolta in veli vedovili che si agitavano furiosamente al vento. Mi portarono dinanzi ad essa che disse alcune parole che non capii, si curvò ancora di più e mi diede un bacio sulla fronte (dovevo quindi essere molto piccolo, se una signora seduta doveva ancora curvarsi per baciarmi). Dopo di che fui trascinato via, riportato in camera mia, spogliato dei miei vestiti di gala, rivestito in un più modesto abbigliamento e condotto sulla spiaggia dove erano di già i ragazzi Florio ed altri con i quali, dopo aver fatto il bagno, restammo a lungo sotto il cocentissimo sole a giocare al nostro gioco preferito che era quello di ricercare nella sabbia dei pezzettini di rossissimo corallo che vi si trovavano con una certa frequenza.

Mi venne rivelato nel pomeriggio che la vecchia signora era Eugenia, ex imperatrice dei Francesi, il cui "yacht" si trovava alla fonda davanti a Favignana, che era stata a pranzo dai Florio la sera prima (senza che io, naturalmente, ne sapessi niente) e che aveva nella mattinata fatto una visita di congedo (a quell'ora delle sette, infliggendo così, con indifferenza imperiale, un vero supplizio a mia Madre e alla signora Florio) ed alla quale si vollero presentare i rampolli. La frase che essa disse prima di baciarmi pare sia stata: "Quel joli petit!"

INFANZIA

I LUOGHI

Anzitutto la nostra casa. La amavo con abbandono assoluto. E la amo ancora adesso quando essa da dodici anni non è più che un ricordo. Fino a pochi mesi prima della sua distruzione dormivo nella stanza nella quale ero nato, a quattro metri di distanza da dove era stato posto il letto di mia madre durante il travaglio del parto. Ed in quella casa, in quella stessa stanza forse, ero lieto di essere sicuro di morire. Tutte le altre case (poche del resto, a parte gli alberghi) sono state dei tetti che hanno servito a ripararmi dalla pioggia e dal sole, ma non delle CASE nel senso arcaico e venerabile della parola. *Ed in ispecie quella che ho adesso, che non mi piace affatto, che ho comperato per far piacere a mia Moglie e che sono stato lieto di far intestare a lei, perché veramente essa non è la mia casa.*

Sarà quindi molto doloroso per me rievocare la Scomparsa amata come essa fu sino al 1929, nella sua integrità e nella sua bellezza, come essa continuò dopo tutto ad essere sino al 5 Aprile 1943 giorno in cui le bombe trascinate da oltre Atlantico la cercarono e la distrussero.

La prima sensazione che mi viene in mente è quella della sua vastità. E questa sensazione non è dovuta all'ingrandimento che l'infanzia fa di ciò che la circonda, ma alla realtà effettiva. Quando ne vidi l'area coperta di ripugnanti rovine, la sua superficie era di 1600 mq. Abitata soltanto da noi in un'ala, dai miei nonni paterni in un'altra, dai miei zii scapoli al secondo piano, essa era tutta a mia disposizione durante venti anni, con i suoi tre cortili, le sue quattro terrazze, il suo giardino, le sue scale immense, i suoi anditi, i suoi corridoi, le sue scuderie, i piccoli ammezzati per le persone di servizio e per l'Amministrazione, un vero regno per un ragazzo solo, un regno vuoto o talvolta popolato da figure tutte affettuose.

In un nessun punto della terra, ne sono sicuro, il cielo si è mai steso più violentemente azzurro di come facesse al di sopra della nostra terrazza rinchiusa, mai il sole ha gettato luci più miti di quelle che penetravano attraverso le imposte socchiuse nel "salone verde", mai macchie di umidità sui muri esterni di cortile hanno presentato forme più eccitatrici di fantasia di quelle di casa mia.

Tutto mi piace in essa: l'asimmetria dei suoi muri, la quantità dei suoi saloni, gli stucchi dei suoi soffitti, il cattivo odore della cucina dei miei nonni, il profumo di violetta nella stanza di toletta di mia Madre, l'afa delle sue scuderie, la buona sensazione di cuoi puliti della selleria, il mistero di certi appartamenti non finiti al secondo piano, l'immenso locale della rimessa nella quale si conservavano le carrozze; tutto un mondo pieno di gentili misteri, di sorprese sempre rinnovate e sempre tenere.

Ne ero il padrone assoluto e di corsa ne percorrevo continuamente i vasti spazi, salendo dal cortile su per la scala "grande" sino alla "loggia" situata sul tetto dalla quale si vedeva il mare e Monte Pellegrino e tut-

Pianta di casa Lampedusa.

ta la città sino a Porta Nuova e Monreale. E poiché con deviazioni e giravolte sapevo evitare le stanze abitate mi sentivo solo e dittatore, seguito spesso soltanto dall'amato Tom che correva eccitatissimo alle mie calcagna, con la lingua rosa penzoloni fuori dal caro muso nero.

La casa (e casa voglio chiamarla e non palazzo, nome che è stato deturpato appioppato come è adesso ai falansteri di quindici piani) era rintanata in una delle più recondite strade della vecchia Palermo, in via Lampedusa, al n. 17, numero onusto di cattivi presagi ma che allora serviva soltanto ad aggiungere un saporino sinistro alla gioia che essa sapeva dispensare. (Quando poi, trasformate le scuderie in magazzini, chiedemmo che il numero fosse mutato ed esso diventò 23, si andava verso la fine: il numero 17 le portava fortuna.)

La strada era recondita ma non strettissima, e ben lastricata; e non sudicia come si potrebbe credere perché di faccia al nostro ingresso e per tutta la lunghezza del fabbricato, si stendeva l'antico palazzo Pietraperzia che non aveva né negozi né abitazioni al pianterreno e che mostrava soltanto un'austera ma pulita facciata, bianca e gialla, come si deve, punteggiata da molte finestre custodite da enormi inferriate che le conferivano un aspetto dignitoso e triste di vecchio convento o di prigione di stato. (Gli scoppi delle bombe, poi, scaraventarono molte di queste pesanti inferriate dentro le nostre stanze prospicienti, con quali lieti effetti sugli stucchi antichi ed i lampadari di Murano può essere immaginato.)

Ma se la via Lampedusa, per lo meno per tutta la distesa della nostra casa, era decente, non così lo erano le vie di accesso: la via Bara all'Olivella che portava in piazza Massimo era brulicante di miseria e di catodi [2] e percorrerla era un affare triste. Divenne un po' meglio quando venne tagliata la via Roma, ma rimase sempre un buon tratto da fare tra sporcizia e orrori.

La facciata della casa non aveva nulla di architettonicamente pregevole: era bianca con le larghe inquadrature delle aperture color giallo zolfo, il più puro stile siciliano del 6 e 700 insomma. La casa si stendeva nella via Lampedusa per una sessantina di metri ed aveva 9 grandi balconi di facciata. I portoni erano due, quasi agli angoli della casa, enormemente larghi come si facevano prima per permettere alle vetture di svoltarvi dentro anche da strade strette. Ed infatti vi svoltavano con facilità anche gli attacchi a quattro che mio Padre guidava con maestria nei giorni di corse al galoppo alla Favorita.

Varcato il portone dal quale si entrava sempre, *il primo a sinistra guardando la facciata, quasi all'angolo della via Bara e separato dal canto della casa soltanto dallo spazio di un paio di metri nel quale si apriva la finestra grigliata della portineria, si entrava in un breve androne lastricato con i due muri laterali a stucco bianco, sorretti da un basso scalino. A sinistra vi era la guardiola del portiere (cui faceva seguito nell'interno la sua abitazione) con la bella porta di mogano nel centro della quale vi era un grande vetro opaco con il nostro stemma. E subito dopo sempre a sinistra precedendo ai due scalini, l'ingresso alla "scala grande", con la sua porta a due battenti anch'essa di mogano e vetro ma senza stemmi e col vetro trasparente*, proprio di fronte alla scala a destra vi era un porticato con colonne di bella pietra grigia di Billiemi che sostenevano il soprastante "tocchetto". Di faccia al portone vi era il grande corti-

[2] *Catoiu* (qui italianizzato in *catodio*), dal greco κατώγειον (sotterraneo), indica in siciliano un misero locale d'abitazione al pianoterra o seminterrato (cfr. il napoletano *basso*). [*N.d.R.*]

le acciottolato e diviso in spicchi da file di lastrichi. Esso era terminato da tre grandi archi sostenuti anch'essi da colonne di Billiemi che portavano la terrazza che univa, in quel punto, le due ali della casa.

Sotto il primo porticato, a destra dell'androne, vi erano parecchie piante, palme soprattutto, in botti di legno verniciate di verde e in fondo una statua, in gesso, di non so quale dio greco all'impiedi. In fondo pure, e parallela all'ingresso vi era la porta della selleria.

La "scala grande" era molto bella, tutta in Billiemi grigio, a due rampe di una quindicina di scalini ognuna, incassata fra due muri giallini. Dove cominciava la seconda rampa vi era un ampio pianerottolo oblungo con due porte in mogano, una di fronte a ciascuna rampa, *quella che dava nella prima fuga conduceva nei locali dell'ammezzato adibiti ad Amministrazione e chiamati "la Contabilità", l'altra in un piccolissimo sgabuzzino che serviva ai camerieri per mutare di livrea.*

Queste due porte erano adorne di un cornicione pure in Billiemi di stile Impero, ed erano sormontate all'altezza del primo piano ciascuna da un balconcino a petto d'oca dorato *che si aprivano ambedue sulla piccola saletta d'ingresso all'appartamento dei Nonni.*

Ho dimenticato di dire che subito dopo l'ingresso alla scala, però dalla parte esterna, sul cortile, pendeva il laccio rosso della campana che il portiere doveva suonare per avvertire la servitù che si erano ritirati i padroni o che erano venute delle visite. Il numero dei colpi di campana, che i portinai eseguivano magistralmente, ottenendo, non so come, dei colpi secchi e separati, senza noiosi tintinnii, era rigorosamente protocollizzato: quattro colpi per mia Nonna, la Principessa, due per le visite della Principessa, tre per mia Madre, la Duchessa, uno per le visite di lei. Succedevano però dei malintesi, cosicché essendo talvolta rientrate "rocchetti" cioè in un particolare

riempiti, per ragioni di comodità

co a losanghe (◊). In con

ndr tavolo a rimestar nel

arrivo (e fu lì che lessi un

nella stessa vettura mia Madre, mia Nonna e un'amica che avevano preso con sé nella strada, venne eseguito un vero concerto di 4 + 3 + 2 colpi che non finiva più. I padroni maschi (mio Nonno e mio Padre) uscivano e si ritiravano senza che per loro si scampanasse.

Terminata la seconda fuga delle scale si sboccava nell'ampio e luminoso "tocchetto" cioè in un porticato i cui vani fra le colonne erano stati riempiti, per ragioni di comodità, da grandi vetrate di vetro opaco a losanghe.[3] In esso vi erano pochi mobili: grandi quadri di antenati e un grande tavolo a sinistra sul quale si posavano le lettere in arrivo (e fu lì che lessi una cartolina proveniente da Parigi indirizzata allo zio Ciccio nella quale una qualche sgualdrinella francese aveva scritto: "Dis à Moffo qu'il est un mufle"), *due belle cassapanche e una statua in gesso di Pandora nell'atto di aprire la fatale scatola, circondata da piante. In fondo, di faccia allo sbocco della scala, vi era una porta sempre chiusa che immetteva direttamente nel "salone verde" (porta che molto dopo divenne quella d'ingresso al nostro appartamento), e a destra della scala l'ingresso alla "sala grande", protetta da una porta sempre aperta di raso rosso trapunto con la parte superiore recante a colori nel vetro lo stemma nostro e quello Valdina.*

La "sala grande" era un immenso ambiente, pavimentato a lastre di marmo bianco grigio, con tre balconi su via Lampedusa *e uno sul cortile Lampedusa, prolungamento cieco della via Bara. Esso era diviso in due da un arco, lo divideva in due parti ineguali, la prima più piccola, l'altra assai più vasta.* Con grave rammarico dei miei genitori essa era di decorazione interamente moderna, poiché nel 1848 vi era caduta una bomba che ne distrusse il bel soffitto dipinto e ne dan-

[3] Nel manoscritto la forma della vetrata è indicata da un disegno. (Vedi pag. a fronte)

neggiò irreparabilmente le pitture murali. Per lungo tempo pare anzi vi crescesse un bel fico. Essa venne rifatta quando mio Nonno si sposò, cioè nel 1866 o '67, ed era tutta a stucco lucido bianco, con un "lambris" di marmo grigio. *Nel centro del soffitto di ognuna delle due parti era dipinto uno stemma, di faccia alla porta d'ingresso vi era un grande tavolo di noce sul quale le visite deponevano cappelli e cappotti; poi vi erano alcune cassapanche e qualche seggiolone.* Era in questa sala grande che stavano i camerieri, bighellonando sui loro sedili e pronti a precipitarsi nel tocchetto al suono della famosa campana.

Entrati dalla porta di stoffa rossa della quale ho parlato se si girava verso la parete di sinistra si trovava un'altra porta anch'essa di stoffa ma verde che dava nel nostro appartamento; se si girava a sinistra si doveva traversare tutto l'ambiente finché a destra si trovava uno scalino e una porta che conduceva all'appartamento dei Nonni e precisamente cominciando da quella "saletta" con i due balconcini che davano sulla scala.

Varcata la porta di stoffa verde si entrava nell'"anticamera" che aveva sei soprapporte di ritratti di antenati sul suo balcone e sulle sue due porte, un parato di seta grigia, altri quadri e pochi mobili scuri. E l'occhio penetrava nella prospettiva dei salotti che si stendevano l'uno dopo l'altro lungo la facciata. Qui cominciava per me la magia delle luci che in una città a sole intenso come Palermo sono succose e variate secondo il tempo anche in strade strette. Esse erano talvolta diluite dai tendaggi di seta davanti ai balconi, talaltra invece esaltate dal loro battere su qualche doratura di cornicione o da qualche damasco giallo di seggiolone che le rifletteva; talora, specialmente in estate, i saloni erano oscuri ma dalle persiane chiuse filtrava la sensazione della potenza luminosa che era fuori, talaltra, a seconda dell'ora, un solo raggio penetrava diritto e ben delineato come quelli del Sinai, popolato da miriadi di granellini di polvere, e andava ad eccitare il colore dei tappeti che era uniformemente rosso rubino in tutte le stanze. Un vero sortilegio di illuminazioni e di colori che mi ha incatenato l'anima per sempre. Talvolta in qualche vecchio palazzo o in qualche chiesa ritrovo questa qualità luminosa che mi struggerebbe l'anima se non fossi pronto a sfornare qualche "wicked joke".

Dopo l'anticamera veniva la stanza detta del "lambris" perché rivestita sino a mezza altezza appunto da un "lambris" di noce intagliato, dopo ancora la stanza detta "della cena" con le pareti tappezzate di stoffa arancione a fiori, stoffa che ancora in parte sopravvive come tappezzeria della attuale stanza di mia Moglie. E la sala da ballo con i pavimenti a smalto e soffitti sui quali deliziosi ghirigori oro e giallo incorniciavano scene mitologiche nelle quali con rustica forza e grandi svolazzi di panneggi si affollavano tutti gli dei dell'Olimpo. E dopo il "boudoir" di mia Madre che era molto bello con il suo soffitto tutto a fiori e rami di stucchi colorati antichi, di un disegno soave e corposo come una musica mozartiana.

E dopo ancora si entrava nella camera da letto di mia Madre che era molto grande; la parete maggiore dove era la stanza d'angolo della casa con un balcone (l'ultimo) su via Lampedusa, e uno sul giardino dell'oratorio di S. Zita.

Le decorazioni di legno, di stucco e di pittura di questa stanza erano fra le più belle della casa.

Dal salotto detto "lambris" andando a sinistra si entrava nel "salone verde", e da questo nel "salone giallo", e da questo ancora in una stanza che in principio era la mia "day-nursery", in seguito trasformata in salottino "rosso" la stanza nella quale si stava sempre e in seguito ancora in biblioteca. Questo ambiente aveva a sinistra (entrandovi dal salone giallo) una finestra sul cortile grande e sullo stesso muro una porta vetrata che immetteva sulla terrazza. Ad angolo retto con queste aperture vi era prima una porta (poi murata) che dava in una piccola stanza che era stata stanza da bagno di mio Nonno (vi era anche la vasca di marmo) e che serviva da ripostiglio per i miei giocattoli, e un'altra porta vetrata che conduceva alla terrazza piccola.

INFANZIA – I LUOGHI – *LE ALTRE CASE*

Ma la "casa" di Palermo aveva allora delle dipendenze in campagna che ne aumentavano il fascino. Esse erano quattro: S. Margherita Belice, la villa di Bagheria, il palazzo a Torretta e la casa di campagna a Raitano. Vi era anche la casa di Palma e il castello di Montechiaro ma in quelli non andavamo mai.

SORTE DI QUESTE CASE

La preferita era S. Margherita nella quale si passavano lunghi mesi anche d'inverno. Essa era una delle più belle case di campagna che avessi mai visto. Costruita nel 1680, verso il 1810 era stata completamente rifatta dal principe Cutò in occasione del soggiorno lunghissimo che vi fecero Ferdinando IV e Maria Carolina costretti in quegli anni a risiedere in Sicilia mentre a Napoli regnava Murat. Dopo, però, essa non era stata abbandonata come avvenne invece a tutte le altre case siciliane, ma continuamente curata, restaurata ed arricchita, fino a mia Nonna Cutò la quale, vissuta sino a venti anni in Francia, non aveva ereditato l'avversione sicula per la vita in campagna, vi risiedeva quasi continuamente e l'aveva posta in condizioni "up to date" (per il Secondo Impero, si capisce, che non era però molto differente dallo stato di "comfort" che regnò in Europa sino al 1914).

IL VIAGGIO

Il fascino dell'avventura, del non completamente comprensibile che è tanta parte del mio ricordo di S. Margherita, cominciava con il viaggio per andarvi. Era un'intrapresa piena di scomodità e di attrattiva. In quei tempi non vi erano automobili: verso il 1905 il solo che circolasse a Palermo era l'"électrique" della vecchia signora Giovanna Florio. Un treno partiva dalla stazione Lolli alle 5.10 del mattino. Bisognava quindi alzarsi alle tre e mezza. Mi si svegliava a quell'ora sempre noiosa ma resa per me più infausta dal fatto che era quella stessa alla quale mi si propinava l'olio di ricino quando avevo mal di pancia. Camerieri e cuochi erano già partiti il giorno prima. Ci si caricava in due "landaus" chiusi, nel primo mia Madre, mio Padre, la governante Anna I, mettiamo, ed io. Nel secondo Teresa o Concettina che fosse, la cameriera di mia Madre, Ferrara, il contabile che era di S. Margherita e andava a passare le vacanze con i suoi, e Paolo, il cameriere di mio Padre. Credo che anche un terzo veicolo seguisse, con i bagagli e le ceste per la colazione.

Era generalmente fine Giugno e nelle strade deserte cominciava ad albeggiare. Attraverso piazza Politeama e via Dante (che allora si chiamava via Esposizione) si arrivava alla stazione Lolli. E lì ci si cacciava nel treno per Trapani; i treni erano allora senza corridoi e quindi senza ritirata; e quando ero molto piccolo ci si tirava dietro per me un vasino da notte in orribile ceramica marrone comprato apposta e che si buttava dal finestrino prima di arrivare a destinazione. Il controllore faceva il suo servizio aggrappato all'esterno della vettura e ad un tratto si vedeva dal di fuori sorgere il suo berretto gallonato e la sua mano guantata di nero.

Durante delle ore si traversava il paesaggio bello e tremendamente triste della Sicilia Occidentale: credo che fosse allora tale e quale come lo trovarono i Mille sbarcando – Carini, Cinisi, Zucco, Partinico; poi la linea costeggiava il mare, i binari sembravano posati sulla sabbia; il sole già ardente ci cuoceva nella nostra scatola di ferro. *Termos non ve ne erano; ed* alle stazioni non c'era da aspettare nessun rinfresco; poi il treno tagliava verso l'interno, fra montagne sassose e campi di frumento mietuto, gialli come le giubbe di leoni. Alle 11 finalmente si arrivava a Castelvetrano che era allora lungi dall'essere la cittadina civettuola e ambiziosa che è adesso: era un borgo lugubre, con le fognature allo scoperto ed i maiali che si pavoneggiavano nel corso centrale; e miliardi di mosche. Alla stazione che già da sei ore rosolava sotto il solleone, ci aspettavano le nostre carrozze, due "landaus" ai quali erano state adattate delle tendine gialle.

Alle undici e mezza si ripartiva: sino a Partanna, per un'ora la strada era piana e facile, attraverso un bel paesaggio coltivato; si andava riconoscendo i luoghi noti, le due teste di negri in maiolica sui pilastri d'ingresso di una villa, la croce di ferro che commemorava un omicidio; giunti sotto Partanna, però, la scena cambiava: si presentavano tre carabinieri, un brigadiere e due militi che a cavallo e con la nuca riparata da una pezzuola bianca come i cavalleggeri di Fattori avrebbero dovuto accompagnarci sino a S. Margherita. La strada diventava montuosa: attorno si svolgeva lo smisurato paesaggio della Sicilia del feudo, deserto, senza un soffio d'aria, oppresso dal sole di piombo. Si cercava un albero alla cui ombra far colazione: non vi erano che magri ulivi che non riparano dal sole. Infine si trovava una casa colonica abbandonata, semi in rovina, ma con le finestre gelosamente chiuse. Alla sua ombra si scendeva e si mangiava: succulente cose, per lo più. Un po' in disparte anche i carabinieri cui si era mandato il pane, la carne, il dolce, le bottiglie facevano colazione allegri già bruciati dal sole meridiano. Alla fine del pasto il brigadiere si avvicinava, col bicchiere pieno in mano: "A nome anche dei miei militi, ringrazio le Loro Eccellenze." E buttava giù il vino che doveva avere 40 gradi di calore.

Ma uno dei militi era rimasto in piedi, e girava attorno alla casa, circospetto.

Ci si rimetteva in carrozza. Erano le due, l'ora veramente atroce della campagna estiva siciliana. Si andava al passo perché incominciava la discesa verso il Belice. Tutti erano muti e di fra il battere degli zoccoli si sentiva solo la voce di un carabiniere che canticchiava: "La Spagnola sa amar così." Il polverone si alzava. [*Anna I, che pure era stata in India*]

Poi si traversava il Belice, che era un fiume sul serio per la Sicilia, con financo dell'acqua nel suo greto, e cominciava l'interminabile salita al passo: le giravolte si succedevano eterne nel paesaggio calcinato.

Sembrava non dovesse finir più ma tuttavia finiva: in cima al versante, i cavalli si fermavano, frementi di sudore; i carabinieri smontavano, anche noi scendevamo per sgranchirci le gambe. E si ripartiva al trotto. Mia Madre cominciava ad avvertirmi: "Stai attento ora, tra poco a sinistra vedrai la Venarìa." E infatti si giungeva su un ponte e a sinistra si scorgeva finalmente un po' di verzura, dei canneti e financo un aranceto. Erano le Dàgali, la prima proprietà Cutò che s'incontrasse. E dietro le Dàgali una collina ripida, traversata sino in cima da un largo viale di cipressi che portava alla Venarìa, padiglione di caccia che ci apparteneva.

Non eravamo più lontani. Mia Madre, sospinta dal suo amore per S. Margherita, non stava più ferma, si sporgeva ora da uno sportello ora dall'altro. "Siamo quasi a Montevago. Siamo a casa!" Si traversava difatti Montevago primo nucleo di vita ritrovato dopo quattro ore di strada. Ma quale nucleo! Larghe strade deserte, case egualmente oppresse dalla povertà e dall'implacabile sole, nessun'anima viva, qualche maiale, qualche carogna di gatto.

Ma passato Montevago tutto andava meglio. La strada era diritta e piana, il paesaggio ridente. "Ecco la villa di Giambalvo! Ecco la Madonna delle Grazie e i suoi cipressi!" Si salutava con gioia perfino il cimitero. Poi la Madonna di Trapani. Ci siamo! Ecco il ponte.

Erano le 5 di sera. Viaggiavamo da 12 ore.

Sul ponte era schierata la banda municipale che attaccava con slancio una "polka". Noi abbrutiti, con le ciglia bianche di polvere e la gola riarsa, ci sforzavamo di sorridere e di ringraziare. Un breve percorso nelle strade, si sboccava nella Piazza, si vedevano le linee aggraziate della Casa, si entrava nel portone: primo cortile, androne, secondo cortile. Si era arrivati. Al basso della scala esterna il gruppetto dei "familiari" capeggiato dall'eccellente Don Nofrio, minuscolo sotto la barba bianca e fiancheggiato dalla potente moglie. "Benvenuti!" "Come siamo contenti di essere arrivati!"

Su in un salotto Don Nofrio aveva fatto preparare delle granite di limone, pessime ma che erano lo stesso una benedizione. Io venivo trascinato da Anna su nella mia stanza e immerso riluttante in un bagno tiepido che Don Nofrio, l'inappuntabile, aveva pensato a far preparare, mentre i miei infelici genitori affrontavano l'ondata delle conoscenze che cominciavano ad arrivare.

LA CASA[4]

Posta nel centro del paese, proprio nella Piazza ombreggiata, si stendeva per una estensione immensa e contava fra grandi e piccole trecento stanze. Essa dava l'idea di una sorta di complesso chiuso e autosufficiente, di una specie di Vaticano, per intenderci, che racchiudeva appartamenti di rappresentanza, stanze di soggiorno, foresterie per trenta persone, stanze per domestici, tre immensi cortili, scuderie e rimesse, teatro e chiesa privati, un enorme e bellissimo giardino e un grande orto.

E che stanze! Il principe Niccolò aveva avuto il buon gusto quasi unico al suo tempo di non guastare i salotti settecenteschi. Nel grande appartamento ogni porta era incorniciata dai due lati da fantasiosi fregi settecenteschi in marmi grigi, neri o rossi che con le loro armoniosissime dissimetrie suonavano una fanfara gioconda ad ogni passaggio da un salone all'altro. Dal secondo cortile un'ampia scala a balaustrata di marmo verde, a una sola fuga, portava a una terrazza nella quale si apriva la porta d'ingresso sormontata dalla croce a campanelle.

Da questa si entrava nella colossale anticamera in-

[4] Titolo non autografo. V. *Prefazione*, pp. 16-8.

teramente ricoperta da due file sovrapposte di quadri rappresentanti i Filangeri dal 1080 al padre di mia Nonna, tutte figure in piedi a grandezza naturale nei più svariati costumi, da quello di crociato a quello di gentiluomo di camera di Ferdinando II, quadri che malgrado l'estrema mediocrità della loro fattura, riempivano la sterminata stanza di una presenza viva e familiare. Sotto ciascuno di essi, in lettere bianche su di un cartiglio nero, erano scritti i nomi, i titoli e gli avvenimenti della loro vita: "Riccardo, difese Antiochia contro gli infedeli"; Raimondo, perito nella difesa di Acri; un altro Riccardo "principale istigatore della rivolta sicula" (cioè dei Vespri siciliani); Niccolò I, "guidò due reggimenti di ussari contro le galliche orde nel 1796".

Al di sopra di ogni porta o finestra vi erano invece le piante panoramiche dei "feudi", allora ancora quasi tutti presenti all'appello. Nei quattro angoli quattro statue di bronzo di guerrieri in armatura – concessione al gusto del tempo – reggevano alta una semplice lampada a petrolio. Sul soffitto Giove avvolto in una nube purpurea benediceva all'imbarco Arugerio che si preparava dalla nativa Normandia a salpare verso la Sicilia; e Tritoni e Ninfe marine folleggiavano attorno alle galere pronte a salpare sul mare madreperlaceo. [*Campieri - berretti, divise, fucili, lepri*]

Oltrepassato però che si fosse questo suo preludio orgoglioso, la casa era tutta grazia e moine, o, per meglio dire, il suo orgoglio si velava sotto la mollezza come quello di un aristocratico sotto la cortesia. Vi era la biblioteca racchiusa in armadi di quel sapido stile del Settecento siciliano detto "stile di badia", simile a quello veneziano fiorito ma più rude e meno zuccherato. Quasi tutte opere illuministiche nelle loro rilegature fulve e dorate: l'"Encyclopédie", Voltaire, Fontenelle, Helvetius, il Voltaire nella grande edizione di Ketil (se Maria-Carolina lo leggeva cosa doveva pensarne?): poi le "Victoires et Conquêtes", una raccolta di bollettini napoleonici e di relazioni di guerra che facevano le mie delizie nei lunghi pomeriggi estivi pieni di silenzio mentre li leggevo, a pancia in giù, disteso su uno di quei spropositati "poufs" che occupavano il centro della sala da ballo. Insomma una bizzarra biblioteca se si pensa che era stata formata da quel principe Niccolò che era reazionario. Vi si trovavano anche raccolte rilegate di giornali satirici del Risorgimento, il "Fischietto" e "Lo Spirito folletto", qualche bellissima edizione di "Don Quichotte", di La Fontaine, la storia di Napoleone con le preziose illustrazioni di Norvins (questo libro lo ho ancora), le opere complete o quasi di Zola le cui copertine gialle si affermavano sfacciate in quell'ambiente "mellow", pochi altri romanzi di basso rango; ma anche i "Malavoglia" con dedica autografa.

Non so se sono fin qui riuscito a dare l'idea che ero un ragazzo cui piaceva la solitudine, cui piaceva di più stare con le cose che con le persone. Poiché era così si capirà facilmente come la vita a S. Margherita fosse l'ideale per me. Nella vastità ornata della casa (*12 persone in 300 stanze*) mi aggiravo come in un bosco incantato. Bosco senza draghi nascosti; pieno di liete meraviglie financo nei nomi giocosi delle stanze: la "stanza degli uccellini" tutta tappezzata di grezza seta bianca rugosa nella quale fra infiniti ghirigori di rami fioriti splendevano appunto uccellini multicolori dipinti a mano; la "stanza delle scimmie" dove fra gli stessi alberi tropicali si spenzolavano "oustiti" pelosissimi e maliziosi; le "stanze di Ferdinando" che a me evocavano, prima, l'immagine del mio biondo e ridente zio, ma che invece avevano conservato questo nome perché avevano costituito l'appartamento privato del ridanciano e crudele Re Nasone, come del resto dimostrava lo spropositato "lit-bateau" Impero il cui materasso era ricoperto da quella specie di cassa in marocchino che pare si usasse invece della coperta per i letti regali; marocchino verde fittamente inciso dei triplici gigli di Borbone dorati e che sembrava un enorme libro. Le pareti erano ricoperte di una seta di un verde più chiaro, a strisce verticali, una lucida e una matta a righine, tal e quale come quella del "salone verde" della casa a Palermo. La "sala della tappezzeria" era la sola cui si unì in seguito una qualche associazione sinistra: in essa vi erano otto grandi "succhi d'erbe" su argomenti tratti dalla "Gerusalemme Liberata". In uno di essi, rappresentante il duello tra Tancredi e Argante, uno dei due cavalli aveva uno sguardo stranamente umano che io dovevo poi riallacciare al "House of the Metzengerstein" di Poe. Questo "succo d'erba", del resto, è ancora mio.

Noi si stava sempre la sera, strano a dirsi, nella sala da ballo, ambiente centrale del primo piano, che con otto balconi guardava sulla piazza e con quattro sul primo cortile. Ricordava la sala da ballo della nostra casa di Palermo: l'oro era la nota dominante del salone. Il parato però era verdino tenero quasi interamente ricoperto di ricami a mano di fiori e foglie d'oro e interamente in oro zecchino matto con decorazioni in oro più lucido erano i basamenti in legno e le imposte enormi come portoni di case. E quando nelle serate d'inverno (passammo infatti due inverni a S. Margherita da cui mia Madre non voleva staccarsi) si stava seduti davanti al caminetto centrale al chiarore di pochi lumi a petrolio la cui luce riprendeva capricciosamente alcuni fiori del parato ed alcune modanature delle chiusure, sembrava di essere rinchiusi in uno scrigno delle fate. Di una di queste serate posso precisare la data perché ricordo che vennero portati i giornali che annunziavano la caduta di Porto-Arturo.

Queste serate non erano, del resto, sempre ristrette alla sola famiglia; anzi non lo erano quasi mai. Mia Madre tendeva a mantenere in vita la tradizione creata dai suoi genitori di mantenere relazioni cordiali con i maggiorenti locali, e molti di questi pranzavano a turno da noi, e due volte la settimana si riunivano tutti per giocare a scopone appunto nella sala da ballo. Mia Madre li conosceva fin da quando essa era bambina, e voleva bene a tutti: a me sembravano, come forse non erano, unanimamente brave persone: vi era don Peppino Lomonaco, un palermitano che le sue miserrime condizioni economiche avevano costretto ad emigrare a S. Margherita dove aveva una minuscola casa e un più minuscolo appezzamento di terreno: grande cacciatore era stato amicissimo di mio Nonno e godeva di un trattamento di particolare favore: credo facesse colazione ogni giorno con noi ed era l'unico che desse del "tu" a mia Madre che lo ricambiava con un rispettoso "Lei"; era un vecchietto diritto, asciutto, dagli occhi celesti e dai lunghi baffi bianchi spioventi, molto distinto ed anche elegante nei suoi logori abiti di buon taglio; ho adesso il sospetto che fosse un bastardo di casa Cutò, uno zio di mia Madre, in poche parole; suonava il piano e raccontava meraviglie delle cacce fatte fra macchie e boscaglie insieme a mio Nonno, al prodigioso acume delle sue cagne ("Diana" e "Furetta") e di trepidi ma sempre innocui incontri con le bande dei briganti Leone e Capraro. Vi era Nenè Giaccone, grosso proprietario del luogo, dal pizzetto ardente e dalla vivacità insanabile, che era stimato il grande "viveur" del paese in quanto passava ogni anno due mesi a Palermo alloggiando all'Hotel Milano che si trovava in via Emerico Amari, di fronte al fianco del Politeama, e che era considerato "fast".

Vi era il cavaliere Mario Rossi, piccolo uomo dalla barbetta nera, antico ufficiale postale che parlava sempre di Frascati ("Lei capirà, Duchessa, Frascati è quasi Roma") dove era stato qualche mese in servizio; vi era Ciccio Neve, dal grosso viso rubicondo e dalle fedine alla Francesco-Giuseppe, che viveva con una sorella pazza (quando si conosce bene un villaggio siciliano si vengono a scoprire innumerevoli pazzi); Catania, il maestro di scuola con una barba mosaica; Montalbano, anch'egli grosso proprietario, il vero tipo del "barone di paese" ottuso e grossolano, padre, credo, dell'attuale deputato comunista; Giorgio di Giuseppe, che era l'intellettuale della compagnia e passando sotto le sue finestre la sera, si sentivano i Notturni di Chopin da lui suonati al pianoforte; Giambalvo, enormemente grasso e pieno di spirito; il dottor Monteleone, dal pizzo nero, che aveva studiato a Parigi e che parlava spesso della "rue Monge" dove aveva avuto avventure straordinarie; don Colicchio Terrasa, vecchissimo e quasi del tutto contadino, con il figlio Totò, mangiatore famoso; e tanti altri che si vedevano più raramente.

Si noterà come si trattasse unicamente di uomini; le mogli, le figlie, le sorelle se ne stavano a casa, sia perché le donne in paese (nel 1905-1914) non andassero a fare visite, sia perché i loro mariti, padri e fratelli non le reputassero presentabili; ad esse mia Madre e mio Padre andavano a far visita una volta per stagione, e da Mario Rossi, la cui moglie era una Bilella, illustre per i suoi meriti gastronomici, andavano anche talvolta a far colazione; e talvolta essa, dopo un complesso sistema di preavvisi e segnali, mandava, per mezzo di un ragazzotto che traversava di galoppo la piazza sotto il sole accecante, una immensa zuppiera colma di maccheroni di zito alla siciliana, con carne tritata, melanzane e basilico, che, ricordo, era davvero una pietanza da dei rustici e primigeni. Il ragazzotto aveva l'ordine preciso di posarla sulla tavola da pranzo, quando eravamo di già seduti e prima di andarsene ingiungeva: "'A Signura raccumanna: 'u cascavaddu".[5] Ingiunzione forse saggia, ma che non venne mai ubbidita.

A questa assenza di donne la sola eccezione era quella di Margherita, la figlia di Nenè Giaccone il "viveur" che era stata educata al Sacro Cuore e che era una bella figliola dai capelli fiammeggianti come quelli del padre, e che ogni tanto si faceva vedere.

A queste relazioni cordiali con la popolazione, si opponevano le relazioni tese con le autorità: il Sindaco, don Pietro Giaccone, non risultava e nemmeno il parroco benché casa Cutò avesse il diritto di patronato; l'assenza del Sindaco si spiega perché vi erano continuamente liti col Comune per gli "usi civici"; era anche lui un uomo galante e per un certo tempo tenne presso di sé una sgualdrinella che si spacciava per spagnola, Pepita, che aveva pescato in un caffè concerto ad Agrigento (!) e che scarrozzava per le vie del paese in una "charrette" trascinata da un "pony" grigio. Mio Padre un giorno che era dinanzi al portone vide passare la coppia nel suo elegante equipaggio; e con l'occhio infallibile che aveva per queste cose si accorse che il mozzo aveva perduto la sua forcella e che la ruota stava per staccarsi, cosicché benché egli non conoscesse il Cavaliere-Sindaco e che le relazioni fossero tese, corse dietro alla "charrette" gridando: "Cavaliere, stia attento, la ruota destra si stacca."

Il cavaliere si fermò, salutò con la frusta e disse:

[5] Caciocavallo. [*N.d.R.*]

"Grazie, ci penserò." E riprese il cammino senza essere disceso. Dopo venti metri la ruota effettivamente andò a farsi benedire, e il Cavaliere-Sindaco venne rudemente scagliato per terra insieme a Pepita nel suo abito di "chiffon" rosa. Si fecero poco male; l'indomani comparvero quattro pernici e un biglietto da visita: "Il cav. Pietro Giaccone, sindaco di S. Margherita Belice, per ringraziare del buon consiglio non ascoltato."

Ma questo sintomo di distensione non ebbe seguito.

L'ultimo e il maggiore dei tre cortili della casa di S. Margherita era il "cortile delle palme" piantato tutto in giro da altissime palme cariche di quella stagione di grappoli non fecondati di datteri. Entrando in esso dal passaggio che vi immetteva dal secondo cortile si aveva a destra la linea lunga e bassa del fabbricato delle scuderie al di là del quale vi era il maneggio. Nel centro del cortile, lasciando a destra le scuderie e il maneggio, vi erano due alti pilastri in pietra gialla porosa, adorni di mascheroni e svolazzi che immettevano alle scalinate che discendevano nel giardino. Erano delle scalinate brevi (una diecina di gradini in tutto) ma nel cui spazio l'architetto barocco aveva trovato modo di dar sfogo a un estro indiavolato, alternando gradini alti e bassi, contorcendo le fughette nei modi più inaspettati, creando pianerottoli superflui con nicchie e panche, in modo da creare su tanta piccola altezza un sistema di possibilità di confluenze e defluenze, brusche ripugnanze e affettuosi incontri che conferiva alla scalinata l'atmosfera di una lite di innamorati.

Il giardino, come tanti altri in Sicilia, era disegnato su un piano più basso della casa, credo affinché potesse usufruire di una sorgente che lì sgorgava. Era molto grande e nella sua complicazione di viali e vialetti perfettamente regolare se lo si guardava da una delle finestre della casa. Era tutto piantato a lecci ed araucarie, con i viali bordati di siepi di mortella e nel furore dell'estate quando la sorgente scemava il suo gettito era un paradiso di profumi riarsi di origano e di nepitella, come lo sono tanti giardini di Sicilia che sembrano fatti più per il godimento del naso che dell'occhio.

Il largo viale che lo circondava sui quattro lati era il solo diritto in tutto il giardino, perché nel resto di esso il disegnatore (che doveva per il suo estro bizzarro essere lo stesso architetto della scalinata) aveva moltiplicato le giravolte, i meandri e gli anditi, contribuendo a conferirgli quel tono di aggraziato mistero che tutta la casa aveva. Tutte queste vie traverse però finivano con lo sboccare sempre nel grande piazzale centrale, quello dove era stata scoperta la sorgente che adesso, racchiusa in ornata prigione, rallegrava con i suoi zampilli la vasta fontana nel centro della quale su un isolotto di rovine artificiali, la dea Abbondanza, chiomata e discinta, versava torrenti d'acqua nel bacino profondo e percorso da amichevoli ondate. Una balaustrata lo cingeva, sormontata qua e là da Tritoni e Nereidi scolpiti nell'atto di voler tuffarsi con movimenti scomposti in ogni singola statua ma scenicamente fusi nell'insieme. Tutt'intorno al piazzale della fontana vi erano delle panche di pietra, annerita ed impiastrata da muffe secolari *che intrichi di fogliame riparavano dai venti e dal sole.*

Ma il giardino era colmo di sorprese per un bambino. In un angolo vi era una grande serra, piena di cactacee e di arbusti rari, il regno di Nino, capogiardiniere e mio grande amico, anche lui di pelo rosso come tanti Margaritani lo erano, forse sotto l'influsso dei Filangeri normanni. Vi era il boschetto di bambù che crescevano fitti e robusti attorno a una fontana secondaria, all'ombra del quale vi era lo spiazzo per i giochi, con l'altalena cadendo dalla quale Pietro Scalea, che fu poi ministro della guerra, si era rotto, prima assai dei miei tempi, il braccio. Vi era in uno dei viali laterali, incastrata nel muro, una vasta gabbia destinata un tempo a delle scimmie, nella quale mia cugina Clementina Trigona ed io ci richiudemmo un giorno, proprio una domenica mattina quando il giardino era aperto agli abitanti del paese, che si fermarono attoniti e muti a contemplare, incerti, queste bertucce vestite.

Vi era la "casa delle bambole" che era stata costruita per i giochi di mia Madre e delle sue quattro sorelle, in mattoni rossi con le inquadrature di finestre in pietra serena, che adesso col tetto sfondato e i pavimenti dei suoi piani crollati era l'unico angolo sconsolato nel grande giardino che Nino, nel rimanente, teneva in modo ammirevole con ogni albero ben tosato, ogni viale insabbiato di giallo, ogni siepetta a posto.

Ogni paio di settimane saliva dal vicino Belice un carro con una grande botte piena di anguille che venivano scaricate nella fontana secondaria (quella dei bambù) che serviva da vivaio e nella quale il cuoco inviava a pescarle con reticelle secondo i bisogni della cucina.

Dappertutto agli angoli dei viali si ergevano busti di dei oscuri, regolarmente privi di naso, e, come in ogni Eden che si rispetti, vi era un serpente nascosto nell'ombra, sotto forma di alcuni arbusti di ricino (del resto bellissimi con le loro foglie oblunghe verdi bordate di rosso) che un giorno mi diedero un'amara sorpresa quando, schiacciando gli acini di un bel grappoletto vermiglio, sentii diffondersi l'odore di quell'olio che in quella età felice era la sola vera ombra della mia vita. Feci fiutare la mia mano unta al beneamato Tom che mi seguiva e vedo ancora il modo gentile e carico di rimprovero col quale sollevò metà del suo labbro nero, come fanno i cani bene educati quando vogliono mostrare il loro disgusto però senza offendere i padroni.

Giardino, ho detto, pieno di sorprese. Ma tutta S. Margherita lo era: piena di trabocchetti giocondi. Si apriva una porta in un corridoio e si intravedeva una prospettiva di stanze, immerse nella penombra delle persiane socchiuse, con le pareti coperte di stampe francesi che rappresentavano le campagne di Bonaparte in Italia; in cima alla scala che conduceva al secondo piano vi era una porta quasi invisibile tanto era stretta e conforme al muro e dietro di essa vi era un grande ambiente, zeppo di quadri antichi appesi fino in cima alla parete, come si vede nelle stampe del "Salon" di Parigi nel Settecento. Uno dei quadri di antenati nella sala d'ingresso era mobile e dietro vi erano le stanze di caccia di mio Nonno, gran cacciatore al cospetto di Dio. I trofei racchiusi in bacheche di cristallo erano nostrani: pernici *dalle zampe rosse*, beccacce dall'aria sconsolata, folaghe del Belice; ma il bancone con le bilance, le presse, i misurini per preparare le cartucce, gli armadi vetrati pieni di bossoli multicolori, le stampe colorate che presentavano più pericolose avventure (vedo ancora un barbuto esploratore biancovestito che fugge urlando dinanzi alla carica di un rinoceronte verdastro) incantavano l'adolescente. Ai muri pendevano anche stampe e fotografie di bracchi, pointers e setters che diffondevano la calma dolcezza di ogni aspetto canino. Ed in grandi rastrelliere erano esposti i fucili, etichettati con un numero che corrispondeva a un registro nel quale erano noverati i colpi sparati da ciascuno. Fu da uno di questi fucili, credo da un'arma per signora a due canne riccamente damaschinate, che sparai, nel giardino, i primi e gli ultimi colpi della mia carriera cinegetica: uno dei barbuti campieri mi costrinse a sparare contro alcuni innocenti pettirossi; due, sventuratamente, caddero, con del sangue sulle tepide piumette grige; e poiché palpitavano ancora, il campiere stritolò loro la testa fra le sue dita.

Malgrado le mie letture di "Victoires et Conquêtes" e "l'épée de l'intrépide général comte Delort rougie du sang des ennemis de l'Empire" questa scena mi fece orrore; il sangue mi piaceva, si vede, soltanto metaforizzato in inchiostro di stampa. Andai diritto da mio Padre, al cui desiderio si doveva questa strage degli Innocenti, e dissi che mai più avrei sparato su nessuno.

Dieci anni dopo dovevo uccidere con una pistolettata un Bosniaco e chissà quanti altri cristiani a cannonate. Ma non ne ebbi il decimo dell'impressione che mi fecero quei due miseri pettirossi.

Vi era anche la "stanza delle carrozze", un grande ambiente oscuro, nel quale erano due immensi "carrosses" del Settecento, uno di gala tutto dorature e vetri, con gli sportelli dove su un fondo giallo erano dipinte delle pastorellerie in "vernis Martin"; i sedili, per almeno sei persone, erano foderati di "taffetas" di un giallino sbiadito; l'altro da viaggio, verde oliva con filettature dorate e lo stemma agli sportelli, *foderato in marocchino verde*. Sotto i sedili vi erano dei ripostigli imbottiti destinati credo alle provviste da viaggio nei quali vi era soltanto un solitario piatto d'argento.

Poi vi era la "cucina delle bambine" con un focolare in miniatura ed una batteria da cucina in rame ad esso proporzionata, che mia Nonna aveva fatto installare nel vano tentativo d'invogliare le figlie ad imparare la cucina.

E poi vi era la chiesa e il teatro con i suoi anditi favolosi per arrivarvi, ma di questi parlerò dopo.

Fra tanti splendori, io dormivo in una stanza completamente disadorna, che dava sul giardino, detta la "stanza rosa" perché era difatto *dipinta* di uno stucco lucido *proprio della tinta della "Maréchale Niel"*; da una parte vi era la stanza di toletta con uno strano bagno ovale di rame installato su quattro alti piedi di legno; ricordo alcuni bagni che mi facevano fare in un'acqua nella quale era disciolto dell'amido, o della crusca racchiusa in un sacchetto dal quale usciva, quando bagnato, un'acquerugiola lattea profumata; "bains de son" dei quali si trova traccia nelle memorie del Secondo Impero, la cui abitudine era stata evidentemente trasmessa da mia Nonna a mia Madre.

In una stanza attinente identica alla mia ma celeste dormirono successivamente le mie governanti, Anna I e Anna II, tedesche, e Mademoiselle, francese. Al mio capezzale pendeva una specie di bacheca Luigi XVI, in legno bianco che racchiudeva tre statuine in avorio, la Sacra Famiglia, su fondo cremisi. Questa bacheca si è miracolosamente salvata e pende adesso al capezzale del letto nella stanza in cui dormo nella villa dei miei cugini Piccolo a Capo d'Orlando. In questa villa del resto ritrovo non soltanto la "Sacra Famiglia" della mia infanzia, ma una traccia, affievolita, certo, ma indubitabile della mia fanciullezza a S. Margherita e perciò mi piace tanto andarvi.

Vi era anche la chiesa, che era poi il Duomo di S. Margherita. Dalla stanza delle carrozze, si svoltava a sinistra, e, salito uno scalino, ci si trovava in un largo corridoio che terminava poi nella "stanza di studio", una specie di aula scolastica con banchi, lavagne, e carte in rilievo dove avevano studiato mia Madre e le mie zie da bambine.

Prima di giungere a questa stanza vi erano a sinistra due porte che immettevano in tre stanze di foresteria, le più ambite perché davano sulla terrazza che terminava lo scalone d'ingresso. A destra invece, fra due "consoles" bianche vi era una grande porta gialla. Da essa si entrava in una piccola stanza oblunga, con sedie e varie mensole cariche di immagini di Santi; ricordo un grande piatto di ceramica con nel centro la testa di S. Giovanni decollato, grandezza naturale, con il sangue raggrumato sul fondo. Da questa stanza si entrava nella Tribuna che, all'altezza di un alto primo piano, si sporgeva direttamente sull'altare maggiore, circondata da una bellissima ringhiera di ferro fiorito e dorato. In essa vi erano prega-Dio, sedie e innumerevoli rosari e da essa ogni domenica alle undici assistevamo alla messa, cantata senza soverchio fervore. La chiesa stessa era grande e bella, ricordo, in stile Impero con grandi brutti affreschi incastonati fra gli stucchi bianchi del soffitto, così come sono nella chiesa dell'Olivella a Palermo, alla quale somigliava in più piccolo.

Da quella stessa "stanza delle carrozze" che, mi accorgo adesso, era una specie di "plaque tournante" delle parti meno frequentate della casa, girando a destra si penetrava in una serie di anditi, di sgabuzzini, di scalette che davano un po' quell'impressione d'inestricabile che hanno certi sogni e si finiva col giungere nel corridoio del teatro. Era questo un vero e proprio teatro, con due file di 12 palchi ciascuna, più un loggione e si capisce, la platea. Capace di almeno trecento persone. La sala era tutta in bianco e oro, con i sedili e i buchi dei palchi in velluto azzurro, assai stinto. Lo stile era Luigi XVI, composto ed elegante. Al centro vi era l'equivalente del palco reale, cioè il nostro palco sormontato da un enorme trofeo di legno dorato contenente la croce campanellata sul petto dell'aquila bicipite. Ed il sipario, più tardivo, rappresentava la difesa di Antiochia da parte di Riccardo Filangeri. (Difesa che, a sentire Grousset, fu assai meno eroica di quanto il pittore lasciasse intendere.)

La sala era illuminata da lampade a petrolio dorate posate su bracci che sporgevano sotto la prima fila dei palchi.

Il bello è che questo teatro (che aveva s'intende anche un ingresso per il pubblico nella piazza) era spesso in azione.

Ogni tanto giungeva una compagnia di comici; erano dei "guitti" che, generalmente in estate, si spostavano su carretti da un paese all'altro rimanendo due o tre giorni a dare delle rappresentazioni. A S. Margherita dove c'era un teatro vero e proprio rimanevano più a lungo, un paio di settimane.

Alle 10 del mattino si presentava il capocomico in finanziera e tuba a domandare il permesso di recitare in teatro; era ricevuto da mio Padre, o, se lui non c'era, da mia Madre che naturalmente dava il permesso, rifiutava il prezzo di affitto (o per meglio dire faceva un contratto per il prezzo fittizio di 50 centesimi per le due settimane), e per di più pagava l'abbonamento per il nostro "palco". Dopo di che il capocomico se ne andava per ritornare dopo mezz'ora per chiedere in prestito dei mobili. Queste compagnie viaggiavano infatti con qualche scenario di tela dipinta ma senza mobilio per la scena che avrebbe costituito un bagaglio troppo costoso e ingombrante. Il mobilio veniva concesso e la sera potevamo riconoscere le nostre poltrone, i nostri tavolini, i nostri attacapanni sulla scena (mi duole dire che non erano mai i migliori). Puntualmente al momento della partenza essi venivano riconsegnati talvolta riverniciati così malamente che si dovette pregare le altre compagnie di desistere da questa bene intenzionata pratica. Una volta, *a quanto ricordo*, si presentò anche la prima attrice, una buona grossa ferrarese di trent'anni che doveva interpretare in serata d'addio la "Signora dalle Camelie"; essa trovava il proprio guardaroba non adatto alla solennità della serata e venne a chiedere degli abiti da sera a mia Madre; e così si vide la "Signora dalle Camelie" in abito scollatissimo "vert Nil" coperto di paillettes argentate.

Questa delle compagnie girovaghe nei paesi di campagna è un'attività scomparsa; ed è peccato. La messa in scena era quel che era; gli attori erano evidentemente cattivi; ma recitavano con impegno e con fuoco e la loro "presenza" era certo più reale di quel che siano le pallide ombre delle pellicole di quint'ordine che in questi stessi paesi si rappresentano adesso.

Vi era recita ogni sera: e il repertorio era vastissimo: tutto il dramma ottocentesco vi passava: Scribe, Rovetta, Sardou, Giacometti e anche Torelli. Una volta venne anche dato "Amleto"; fu anche la prima volta che lo sentissi. Ed il pubblico composto in parte di contadini, era attento ed espansivo negli applausi. A S. Margherita, almeno, queste compagnie facevano buoni affari, con il teatro gratuito, i mobili pure ed i cavalli dei loro carri alloggiati e nutriti nella nostra scuderia.

Io vi andavo ogni sera, eccetto in quella unica serata nella stagione chiamata "serata nera" nella quale si rappresentava qualche "pochade" francese reputata indecente. L'indomani i nostri amici del paese venivano a far rapporto su questa recita libertina ed erano in genere assai delusi perché si erano aspettati maggiori indecenze.

Io mi ci divertivo assai, ed i miei genitori pure; ed alle migliori compagnie, alla fine del loro periodo, veniva offerto in giardino una specie di "garden party" con rustico ma abbondante "buffet" che rallegrava gli stomaci temo troppo spesso vuoti, di quegli eccellenti "guitti".

Ma di già l'ultimo anno che sono stato a lungo a S. Margherita, nel 1921, compagnie di comici non ne vennero più, e si proiettavano invece dei tremolanti "films". La guerra aveva ucciso, fra il resto, anche questa pittoresca miseria delle compagnie girovaghe, che aveva la propria utilità artistica e che ho l'impressione fosse stata la pepiniera di molti dei grandi attori italiani dell'Ottocento, fra gli altri la Duse.

Ma mi accorgo di aver dimenticato di parlare della stanza da pranzo di S. Margherita che era singolare per parecchie ragioni. Anzitutto, era singolare perché esisteva: credo sia molto raro che in una casa del Settecento vi sia un ambiente espressamente adibito a sala da pranzo; allora si pranzava in un salotto qualsiasi, cambiando sempre, come del resto io faccio adesso.

A S. Margherita invece c'era. Non molto grande, poteva contenere, comodamente, soltanto una ventina di commensali, essa guardava con due balconi sul secondo cortile. *Vi si accedeva da tre porte: quella principale che immetteva nella "galleria dei quadri" (non quella della quale ho parlato), una che comunicava con le "stanze della caccia" e la terza che conduceva nell'"office" da dove era l'ascensore a corde che lo metteva in comunicazione con la sottostante cucina.* Queste porte erano bianche, Luigi XVI, con dei grandi riquadri dentro i quali erano applicati ornamenti in rilievo, dorati, di un oro verdastro e matto.

Dal soffitto pendeva un lampadario di Murano a "lucerna" sul cui vetro grigiastro spiccava il tenue colorito dei fiori.

Il principe Alessandro che aveva arredato questa sala aveva avuto l'idea di far dipingere sui muri se stesso e la sua famiglia proprio mentre prendevano i pasti. Erano grandi quadri su tela che ricoprivano ciascuno interamente una parete dal pavimento al soffitto, con le figure a grandezza quasi naturale. In uno si vedeva la prima colazione: il Principe e la Principessa, lui in abito da caccia verde, con stivali e cappello in testa, lei in "déshabillé" bianco ma adorna di gioielli, seduti a un piccolo tavolino intenti a prendere la cioccolata, serviti da uno schiavetto negro con turbante. Lei tendeva un biscotto ad un bracco impaziente, lui sollevava verso la bocca una grande tazza azzurra a fiori. Un altro quadro rappresentava la colazione sull'erba: parecchi signori e signore stavano seduti attorno a una tovaglia stesa su un prato sulla quale erano posti maestosi pasticci e bottiglie impagliate: nel fondo si vedeva una fontana e gli alberi erano giovinetti e bassi; credo fosse proprio il giardino di S. Margherita, appena piantato.

Un terzo quadro il più grande rappresentava il pranzo di apparato, con i gentiluomini in parrucchino arricciatissimo e le dame in ghingheri; la Principessa aveva un delizioso abito di seta rosa "broché" di argento e al collo un "collier de chien" e una grande collana di rubini sul petto. I camerieri in grande livrea e cordoni entravano recando alti piatti montati di straordinaria fantasia.

Vi erano altri due quadri ma ricordo il soggetto di uno solo di essi, perché mi stava sempre in faccia: era la merenda dei ragazzi: due bambine di 10-12 anni, strette e impettite nei loro busti a punta, incipriate, erano sedute di fronte a un ragazzo di forse quindici anni, in abito arancione a risvolti neri, e con spadino, e ad una vecchia signora in nero (certamente la governante), e prendevano dei grandi gelati di uno strano rosa, forse di cannella, che si erigevano in punta acutissima da larghi calici di vetro.

Un'altra delle stranezze di S. Margherita era il centro della tavola da pranzo. Esso era stabile: un grande pezzo di argenteria sormontato da un Nettuno con tridente che minacciava la gente, mentre accanto a lui un'Anfitrite faceva loro l'occhietto non senza malizia. Il tutto su una scogliera che sorgeva nel centro di un bacino d'argento circondato da delfini e mostri che mediante un congegno a orologeria nascosto in un piede centrale della tavola spruzzavano acqua dalle bocche. Un insieme certamente fastoso e festoso che aveva però l'inconveniente d'imporre tovaglie che avevano sempre un grande buco nel centro dal quale doveva spuntare il Nettuno. (I buchi del taglio erano mascherati da fiori o da foglie.) Non vi erano credenze ma quattro grandi "consoles" col piano di marmo rosa; e l'intonazione generale della stanza era rosa, sia per il marmo, sia per la "toilette" rosa della Principessa nel grande quadro, sia per la tappezzeria delle sedie che era rosa anche essa, non antica, ma di delicatissima intonazione.

Come si vede la casa di S. Margherita era una specie di Pompei del Settecento in cui tutto si fosse miracolosamente conservato intatto; cosa rara sempre ma quasi unica in Sicilia che per povertà e incuria è il paese più distruttore che esista. Non so quali fossero le cause precise di questa durevolezza *fenomenale*: forse il fatto che mio bisnonno fra il 1820 e il 1840 vi passò lunghi anni in una specie di confino impostogli dai Re Borbone in seguito ad alcune sue indecenze commesse alla Marina; forse la cura appassionata che ne aveva mia Nonna; certamente il fatto che essa aveva trovato in Onofrio Rotolo l'unico amministratore che a mia conoscenza non fosse un ladro.

Egli viveva ancora ai miei tempi: era una specie di gnomo, *piccolo piccolo* con una lunghissima barba bianca; e viveva insieme alla moglie, incredibilmente grande e grossa, in uno dei molti appartamenti appendicolari alla casa con ingresso separato. Delle sue cure e della sua scrupolosità si raccontavano mirabilia: come quando la casa era vuota egli la percorresse ogni notte col lume in mano per constatare se tutte le finestre erano chiuse e le porte sprangate; come permettesse soltanto alla moglie di risciacquare le porcellane preziose; come dopo ogni ricevimento (ai tempi di mia Nonna) andasse a tastare le viti che si trovavano sotto le sedie "*cannées*"; come durante l'inverno passasse giornate intere a sorvegliare squadre di facchini che ripulivano e tenevano in ordine ogni angolo più fuor di mano di quella mastodontica casa. La moglie malgrado la sua età ed il suo poco giovanile aspetto era gelosissima; ed ogni tanto ci giungeva notizia di tremende scenate alle quali ella lo sottoponeva perché sospetto di aver fatto troppa attenzione alle grazie di una giovane fantesca. So di certo che più di una volta andò da mia Madre a rimproverarla vivacemente per le soverchie spese; inascoltato, va da sé, e forse maltrattato.

La sua morte coincise con la rapida ed improvvisa fine di questa bellissima fra le più belle ville. Siano queste righe che nessuno leggerà un omaggio alla sua illibata memoria.

Ma a S. Margherita l'avventura per un ragazzo non si celava soltanto negli appartamenti ignoti o nei meandri del giardino, ma anche in molti singoli oggetti. Pensate soltanto quale fonte di meraviglia potesse essere il centro di tavola! Ma vi era anche la "boîte à musique" scoperta in un cassetto, un grosso aggeggio meccanico ad orologeria nel quale un cilindro irregolarmente cosparso di punte girava su se stesso sollevando dei minuscoli tasti di acciaio e diffondendo una musica gracile e minuziosa.

Vi erano poi delle stanze nelle quali si trovavano

enormi armadi in legno giallo dei quali si erano perdute le chiavi; neppure don Nofrio sapeva dove fossero e quando si è detto questo si è detto tutto. Si esitò a lungo, poi si chiamò un fabbro, gli sportelli furono aperti. Gli armadi contenevano biancheria da letto, dozzine su dozzine di lenzuola, di federe, tanto da fornire un albergo (e dire che ve ne erano di già in quantità strabocchevole negli armadi conosciuti); altri contenevano coperte da letto, in vera lana, cosparse di pepe e di canfora; altri biancheria da tavola, tovaglie damascate piccine, grandi e smisurate, tutte con il buco in mezzo. E fra uno strato e l'altro di queste casalinghe ricchezze erano posti sacchetti di tulle contenenti fiori di lavanda ormai polverizzata. Ma l'armadio più interessante era quello che conteneva della cancelleria del 700; era un po' più piccolo degli altri ed era rimpinzato di enormi fogli di carta da lettere di puro straccio, di fasci di penne d'oca, legate ordinatamente a dieci a dieci, di "pains à cacheter" rossi e verdi e di lunghissime stecche di ceralacca.

Vi erano anche le passeggiate intorno a S. Margherita: quella verso Montevago che era la più frequente perché si svolgeva in piano, era di giusta lunghezza (3 km. circa in ciascun senso) e portava a uno scopo preciso se non attraente: Montevago stesso.

Poi vi era la passeggiata dalla parte opposta, sulla strada principale verso Misilbesi: si passava dinanzi a un enorme pino-parasole, e poi sul ponte della Dragonara, circondato in modo inatteso da un verde fitto e selvaggio che mi ricordava le scene ariostesche così come le vedevo in quell'epoca nelle illustrazioni del Dorè. Quando si arrivava a Misilbesi – un paesaggio di piglio canagliesco, indice di tutte le violenze e i disagi come credevo non ce ne fossero più in Sicilia: pochi anni fa ho visto una certa svolta presso S. Ninfa (Rampinzeri si chiama) nella quale ho riconosciuto il ceffo canagliesco ma amato di Misilbesi – quadrivio assolato segnato da un'antica casa postale con tre strade polverose e deserte che sembravano dover condurre a Dite più che a Sciacca o Sambuca, si ritornava generalmente in vettura perché i sette chilometri regolamentari erano sorpassati di già da molto.

La vettura ci aveva seguiti al passo, fermandosi ogni tanto per non sorpassarci e poi di nuovo riacchiappandoci senza affrettarsi, facendo alternare fasi di silenzio e anche di scomparsa secondo le svolte della strada, a fasi di scalpiccianti riavvicinamenti.

In autunno le passeggiate avevano per meta la vigna di Toto Ferrara, e lì seduti su pietre si mangiava l'uva dolcissima e maculata (uva da vino, perché nel 1905-1910 uva da tavola quasi non se ne coltivava da noi) e poi si entrava in una stanza semibuia nella quale in fondo un gran giovanottone si agitava come un forsennato dentro una botte pigiando coi piedi l'uva il cui succo verdastro si vedeva scorrere in un canaletto di legno, mentre l'aria si riempiva di un pesante odore di mosto.

"Dance, and provençal song, and sunburnt mirth."[6]

No, "mirth" niente; in Sicilia non ve ne era, non ve ne è ancora mai quando si lavora; le stornelleggianti vendemmiatrici toscane, le trebbiature livoniane punteggiate da banchetti, da canti e da accoppiamenti, sono cose sconosciute; ogni lavoro è " 'na camurrìa",[7] una blasfematoria contravvenzione all'eterno riposo concesso dagli Dei ai nostri "*lotus-eaters*".[8]

Nei pomeriggi autunnali piovosi la passeggiata si

[6] "Danza, e canto provenzale, e assolata allegria". J. Keats, *Ode to a Nightingale.* [*N.d.R.*]

[7] In siciliano, malattia venerea, e, per traslato, fastidio, seccatura. [*N.d.R.*]

[8] Mangiatori di loto. [*N.d.R.*]

limitava alla Villa Comunale. Questa era posta al limite settentrionale del paese, proprio sul dirupo che contemplava la grande vallata che è forse l'asse principale est-ovest della Sicilia e, ad ogni modo, uno dei suoi pochi segni geografici evidenti.

Era stata donata al Comune da mio Nonno ed era di una malinconia senza limiti: un viale abbastanza lungo bordato da cipressetti giovani e da vecchi lecci affluiva in un piazzale nudo che aveva in faccia una cappelletta della Madonna di Trapani, nel centro una aiuola fiorita di "cannae" rosse e gialle ed a sinistra una sorta di chiosco-tempietto con cupola sferica dal quale si poteva guardare il panorama.

E ne valeva la pena. Di faccia si stendeva un immenso costone di basse montagne, tutto giallo per il frumento mietuto, con le ristoppie talvolta bruciate che producevano macule nere cosicché si aveva davvero l'impressione di una immane belva accovacciata. Sul costato di questa leonessa o iena (secondo gli umori di chi guardava) si scorgevano a malapena i paesi che la pietra giallo-grigiastra delle costruzioni distingueva assai male dal fondo: Poggioreale, Contessa, Salaparuta, Gibellina, S. Ninfa, oppressi dalla miseria, dalla canicola e dall'oscurità che sopravveniva alla quale essi non reagivano col benché minimo lucignolo.

La cappelletta sul fondo del piazzale era segno delle manifestazioni anticlericali degli studenti in legge margaritani in quel momento in vacanza. Spesso vi si leggevano scritte a lapis le strofe dell'Inno a Satana: "Salute, o Satana / o ribellione / o forza vindice / della ragione." E quando mia Madre (che del resto conosceva l'Inno a Satana a memoria e se non lo ammirava era solo per ragioni estetiche) inviava la mattina dopo il giardiniere Nino a passare una pennellata di latte di calce su quei versi modestamente sacrileghi, due giorni dopo se ne leggevano di aspri: "Ti scomunico, o Prete", "nunzio di lutti e d'ire" e quanti altri sfoghi il buon Giosuè si era creduto in dovere di fare contro il cittadino Mastai.

Sul dirupo sottostante il chiosco si potevano cogliere dei capperi il che facevo regolarmente a rischio di rompermi il muso; e pare vi fossero lì anche delle mosche cantaridi i cui capi polverizzati sono una così potente polvere afrodisiaca; che queste mosche vi fossero ero allora sicuro; ma da chi lo abbia sentito dire, quando e perché rimane un mistero. Ad ogni modo di cantaridi, sia morte che vive, intere od in polvere non ne ho mai viste in vita mia.

Queste erano le passeggiate giornaliere e poco impegnative. Ve ne erano di più lunghe e complicate, delle "gite".

La "gita" per eccellenza era quella a Venarìa, quel padiglioncino di caccia posto su un'altura un po' prima di Montevago. Era questa una gita che si compiva sempre in compagnia, un paio di volte per stagione, e non mancava in essa una certa consuetudine comica. Si decideva: "Domenica prossima a colazione a Venarìa." E la mattina verso le 10 ci si metteva in moto, le signore in carrozza, gli uomini su asini. Benché tutti o quasi possedessero cavalli o per lo meno muli, l'uso del somaro era tradizionale; vi si ribellava soltanto mio Padre che aveva trovato modo di aggirare la difficoltà dichiarandosi l'unica persona capace di guidare per quelle strade il "dog-cart" nel quale si trovavano le signore e nelle cui segrete grigliate per i cani che stavano sotto la cassa erano invece custodite bottiglie e dolci per la colazione.

Fra risate e motteggi la brigata prendeva la strada di Montevago. Nel centro del gruppo polveroso era il dog-cart nel quale mia Madre, Anna (o "Mademoiselle" che fosse), Margherita Giaccone e qualche altra cercavano di ripararsi dalla polvere con veli grigi di quasi musulmana fittezza; attorno caracollavano gli asini (anzi "i scecche" perché in siciliano l'asino è quasi sempre al femminile, come le navi in inglese) con le orecchie sbatacchianti. Vi erano le cadute vere, gli ammutinamenti asinini autentici e le cadute fittizie provocate per amore del pittoresco. Si attraversava Montevago, destando la vocale indignazione di tutti i cani del luogo, si arrivava al ponte delle Dàgali, si scendeva nel terreno sottostante, s'incominciava a salire l'erta.

Il viale era davvero grandioso: lungo trecento metri circa saliva diritto verso la cima della collina, limitato da ciascuna parte da un duplice filare di cipressi. E non cipressetti adolescenti come lo erano quelli di S. Guido, ma grossi centenari cipressoni che dalla folta chioma spandevano in ogni stagione il loro austero profumo. I filari erano interrotti ogni tanto da un incrocio di banchi, e una volta da una fontana il cui mascherone sputava ancora acqua ad intervalli. E si saliva nell'ombra odorosa verso la Venarìa che se ne stava lassù, immersa nel grande sole.

Era un padiglione di caccia costruito alla fine del Settecento che passava per "piccolo piccolo" ma che in realtà avrà avuto almeno una ventina di stanze. Costruito in cima alla collina dalla parte opposta a quella dalla quale noi venivamo esso guardava a strapiombo la valle, quella stessa che si vedeva dalla Villa Comunale ma che qui da più alto appariva di una ancor più vasta desolazione.

Eccone la strana pianta. [Vedi p. 76]

I cuochi che erano partiti da S. Margherita la mattina alle 7 e che avevano già preparato tutto, quando il ragazzo di vedetta aveva annunziato l'approssimarsi del gruppo avevano cacciato nei forni i memorabili

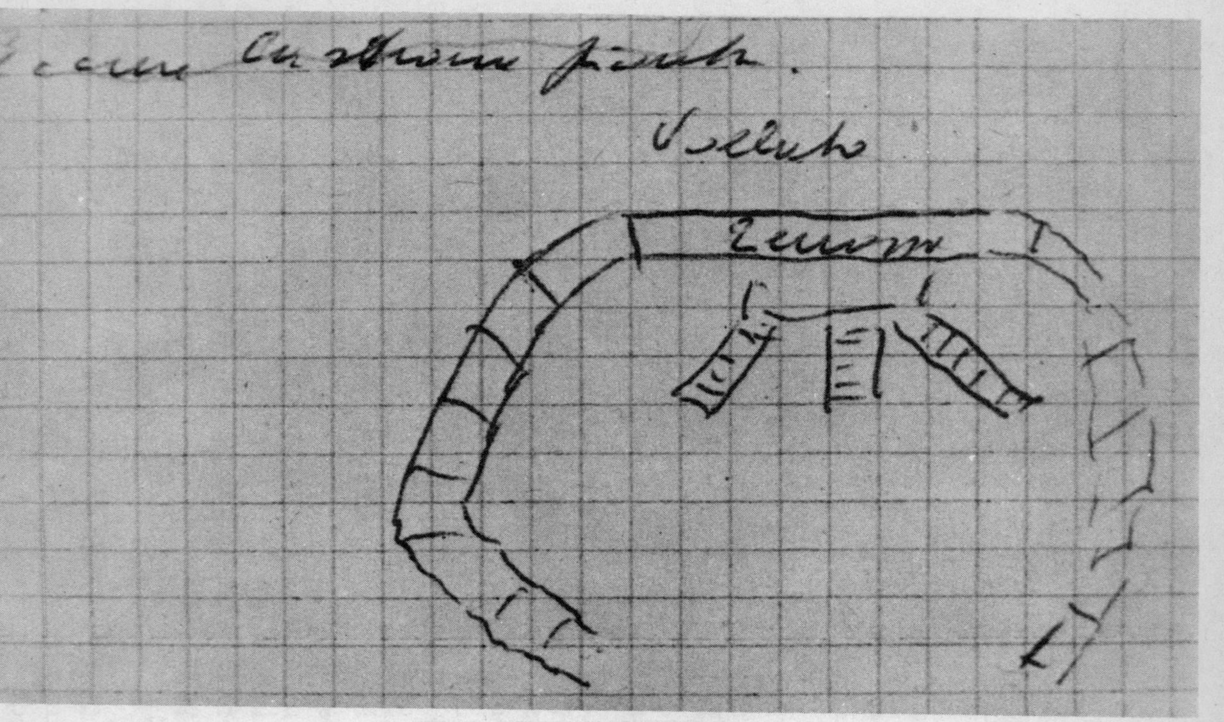

Pianta della Venarìa

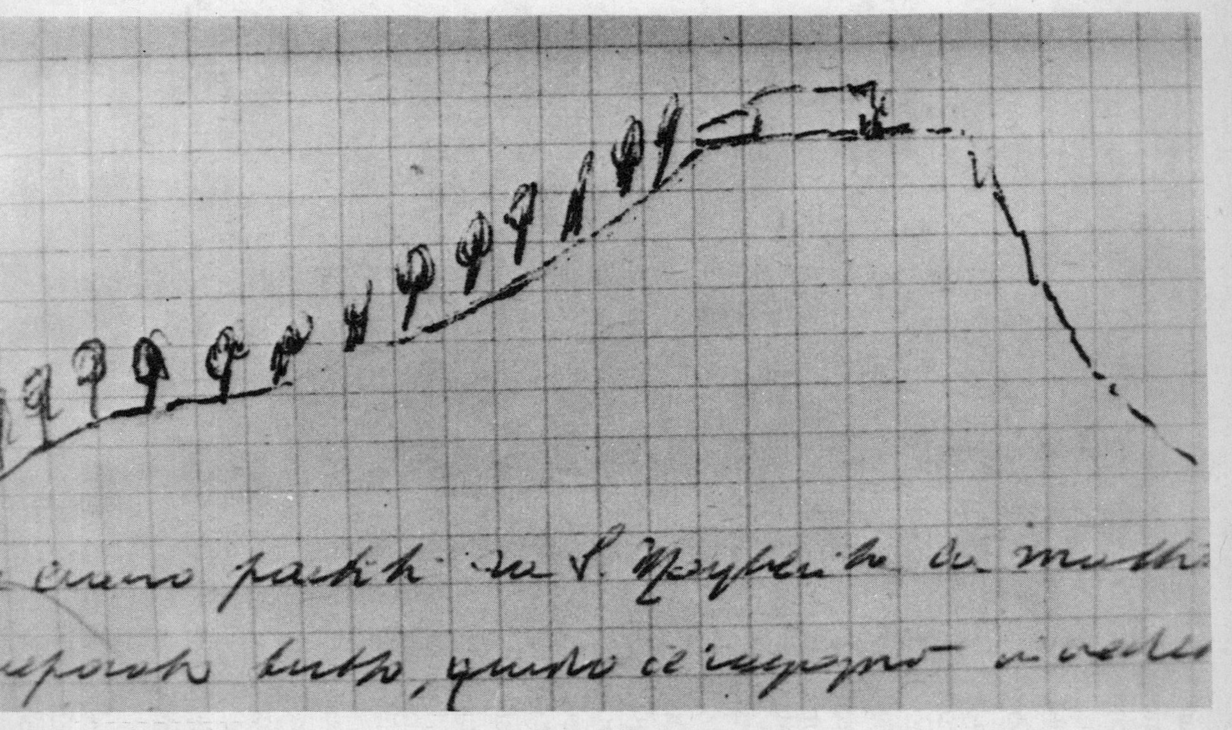

La collina della Venarìa

timballi di maccheroni alla Talleyrand in modo che, giunti, c'era stato appena il tempo di lavarsi le mani, che subito si andava in terrazza sulla quale all'aperto le due tavole erano state preparate. Nei timballi i maccheroni, intrisi di una leggerissima "glas", avevano, sotto la crosta sfogliosa e non dolce, assorbito il profumo del prosciutto e dei tartufi tagliati a listerelle sottili come i fiammiferi.

Enormi spinole fredde alla maionese seguivano, e dopo tacchine farcite e valanghe di patate. C'era da rimanere secchi dalla congestione. Il grosso Giambalvo una volta stava per rimanervi davvero: ma un secchio d'acqua fredda in viso e un prudente riposo in una stanza ombrosa lo salvarono. A rimettere tutto a posto arrivava allora una di quelle torte gelate nella confezione delle quali Marsala, il cuoco, era maestro. La questione dei vini, come sempre nella sobria Sicilia, non aveva importanza. I convitati ci tenevano sì e volevano che il bicchiere fosse riempito sino all'orlo ("niente colletti" gridavano al cameriere) ma poi di fatto di bicchieri senza colletto ne vuotavano uno, al massimo due.

Cominciato il tramonto si scendeva verso S. Margherita.

Ho parlato di "gite" al plurale; in verità, a ripensarci, la sola "gita" era quella a Venarìa; nei primi anni, altre ve ne furono delle quali però conservo un ricordo alquanto vago; ma la parola "vago" non è esatta. Sarebbe meglio dire "difficile ad esprimere". L'impressione visuale era rimasta vivacissima nella mente; ma allora essa non si era collegata con nessuna parola. A Sciacca per esempio siamo stati in carrozza a farvi colazione dai Bertolino quando avrò avuto cinque o sei anni; della colazione, della gente che abbiamo incontrato, del tragitto per arrivarvi non ho nessuna memoria. Viceversa di Sciacca stessa o per meglio dire della sua passeggiata al disopra del mare mi era rimasta nel cervello una immagine fotografica completa e precisa a tal punto che quando due anni fa sono per la prima volta ritornato a Sciacca dopo ben 52 anni, ho potuto facilmente paragonare la scena che avevo sottocchio con quella vecchia rimasta in mente, constatare le molte rassomiglianze e le qualche differenze.

Come sempre i miei ricordi lontani sono in special modo ricordi di "luce": a Sciacca vedo un mare azzurrissimo, quasi nero, che scintilla furiosamente sotto il sole meridiano, uno di quei cieli della piena estate siciliana nebbiosi a forza di afa, una ringhiera che limita uno strapiombo sul mare, una specie di chiosco nel quale vi è un caffè a sinistra di chi guarda il mare. (Questo vi è ancora adesso.)

Un cielo invece corrucciato e corso da nuvole pregne di pioggia mi suggerisce il nome del Cannitello, piccola casa di campagna su una ripida collina alla quale si accedeva da una strada a giravolte che, non so perché, occorreva che i cavalli salissero di galoppo. Vedo il "landau" con i suoi cuscini azzurri impolverati (e che appunto perché azzurri mostravano che la vettura non era nostra ma presa a nolo), mia Madre seduta in un angolo che, spaventata essa stessa, tentava di rassicurarmi, mentre di fianco a noi gli alberi sparuti passavano e scomparivano con la velocità del vento, e gli incitamenti del cocchiere si univano agli schiocchi della frusta e all'infuriare delle sonagliere (no, la vettura non era proprio la nostra).

Della casa del Cannitello ritengo una memoria che adesso mi permette di dire che aveva un aspetto signorile ma poverissimo; allora questo giudizio economico-sociale evidentemente non lo formulavo ma posso serenamente dirlo adesso esaminando la fotografia mentale che ho testé ricavato dall'archivio della memoria.

Ho parlato delle persone che frequentavano la casa di S. Margherita; mi resta adesso di parlare degli ospiti che venivano a starvi alcuni giorni od alcune settimane.

Premetto che questi ospiti erano pochi. Allora non vi erano automobili; o per meglio dire ve ne saranno state tre o quattro in tutta la Sicilia, e lo stato orrendo delle strade induceva i padroni di queste "rari aves" a servirsene soltanto in città. S. Margherita era lontana da Palermo, allora, dodici ore di viaggio; e che viaggio!

Fra gli ospiti di S. Margherita ricordo mia zia Giulia Trigona con Clementina sua figlia e la governante di essa, una tedesca ossuta e severissima ben differente dalle mie sorridenti Anne. Giovanna (adesso Albanese) non era ancora nata e lo zio Romualdo non so dove esibisse il suo bel fisico e i propri impeccabili vestiti.

Clementina era, come è adesso, un maschio in gonnella. Decisa, brusca e manesca era (appunto per queste sue particolarità che poi si rivelarono negative) una gradevole compagna di giochi per un ragazzino di sei o sette anni. Ricordo bene certi interminabili inseguimenti in triciclo che si svolgevano, oltre che nel giardino, nell'interno della casa, fra la sala d'ingresso e il "salone di Leopoldo", il che fra andata e ritorno doveva fare una distanza di circa quattrocento metri.

Ho di già raccontato la storiella della nostra trasformazione in scimmie nella gabbia del giardino; e ricordo le prime colazioni consumate attorno a un tavolino di ferro nel giardino. Ma temo che quest'ultimo sia uno "pseudo-ricordo": di queste prime colazioni in giardino esiste una fotografia e può benissimo darsi che io scambi il ricordo attuale della fotografia con uno arcaico dell'infanzia. Il che è quanto mai possibile ed anzi frequente.

Debbo dire che non conservo nessun ricordo di mia zia Giulia, in questa occasione: probabilmente eravamo, Clementina ed io, ancora all'età dei pasti separati.

Vivacissimo è invece il ricordo di Giovannino Cannitello. Era questi il proprietario di quella casa del Cannitello della quale ho parlato. Giovanni Gerbino-Xaxa, barone del Cannitello, era il suo nome completo ed egli apparteneva a una buona famiglia locale, sub-feudataria dei Filangeri, che avevano avuto il diritto, rarissimo ed assai invidiato di investire della baronia, sui loro propri feudi, un totale di due vassalli per ogni generazione. I Gerbino (che erano stati giudici dei tribunali del "misto e mero") avevano avuto questo privilegio, e mia Nonna per questo lo chiamava "fra i miei vassalli primissimo vassallo".

Giovannino Cannitello faceva allora a me l'effetto di un vegliardo: in realtà non doveva avere più di quarant'anni. Era altissimo, magrissimo, miopissimo: malgrado i suoi occhiali, che portava a "pince-nez", e che forniti di lenti di straordinario spessore, gli straziavano il naso con il loro peso, camminava curvo nella speranza di riuscire a scorgere almeno un'ombra di ciò che lo circondava. Il pover'uomo infatti è morto cieco non più di una ventina d'anni fa.

Persona buonissima, delicata, benvoluta e non molto intelligente egli aveva dedicato la vita (e sperperato la maggior parte delle sue sostanze) al desiderio di essere una "persona elegante". E dal punto di vista dell'abbigliamento vi era certamente riuscito: non ho mai visto su di un uomo un vestiario più sobrio, meglio tagliato, meno vistoso del suo. Era stato uno dei tanti farfalloni che la vivace lampada dei Florio aveva attratto, esaltato in giravolte e poi abbandonato sulla tovaglia con le ali bruciate. Con i Florio era stato più d'una volta a Parigi, alloggiando addirittura al "Ritz", e di Parigi (la Parigi delle "boîtes", dei bordelli di lusso, delle ragazze a pagamento) aveva conservato un ricordo abbagliato il quale del resto lo rendeva assai simile al dottor Monteleone del quale ho parlato; con la differenza che i ricordi del dottore si aggiravano intorno al "Quartier latin" ed all'"Ecole de Médecine". Fra il dottor Monteleone, del resto, e Giovannino Cannitello non correva buon sangue, forse appunto per questa rivalità nel disputarsi i favori della "Ville Lumière". Fu per lungo tempo uno scherzo di famiglia il racconto di come il dottor Monteleone, svegliato la notte perché Cannitello aveva inghiottito un litro di petrolio a scopo suicida (perché respinto da una graziosa cameriera) si fosse semplicemente voltato da un'altra parte dicendo: "Calategli uno stoppino nello stomaco e accendetelo."

Perché Giovannino Cannitello (che in seguito al tempo francese di mademoiselle Sempell venne chiamato "le grand Esco" cioè "le grand escogriffe"[9]) era di temperamento sentimentale oltreché galante. E innumerevoli furono le volte che egli attentò alla propria vita (mediante il guardingo uso di petrolio o di vapori di "braciera" a finestra aperta) in seguito a ripulse da parte di sue fiamme generalmente di rango ancillare.

Il povero Cannitello divenuto quasi cieco e del tutto povero è morto non moltissimi anni fa (verso il 1932) nella sua casa di via Alloro, attigua alla chiesa dei Cocchieri. Mia Madre che andava a visitarlo sino alla fine ritornava impressionatissima perché egli era talmente curvo che, seduto in poltrona, il suo volto era a venti centimetri dal pavimento e per parlare con lui occorreva sedersi su un cuscino direttamente sul pavimento.

[9] Spilungone. [*N.d.R.*]

Nei primi anni era anche frequente ospite a S. Margherita Alessio Cerda. Poi divenne cieco e benché lo vedessimo sempre a Palermo, a S. Margherita egli non si fece più vedere. Vi era di lui una fotografia in uniforme di tenente delle Guide, col berretto molle, gli stivali molli, i guanti molli del nostro infelice esercito del 1866; mollezze tutte che si affermarono a Custoza. Ma di Alessio Cerda, personaggio singolarissimo, avrò occasione di parlare.

Un'altra persona che venne una volta, appunto con una delle prime automobili fu Paolo Scaletta. Credo venisse per caso. Egli andava in alcune proprietà Valdina a Menfi, non lontano da S. Margherita, quando la sua macchina ebbe una panna. E venne a chiedere ospitalità a noi.

Attorno a S. Margherita si raggruppano molti miei ricordi, gradevoli e sgradevoli, tutti però cruciali.

Fu a S. Margherita che alla non tenera età di otto anni mi venne insegnato a leggere. Prima mi si facevano delle letture; a giorni alternati mi si leggeva la "Storia Sacra", una specie di sunto della Bibbia e del Vangelo i giorni di Martedì, Giovedì e Sabato; e i Lunedì, Mercoledì e Venerdì... la Mitologia classica. In modo che ho acquisito una solida conoscenza di ambedue queste discipline: sono ancora in grado di dire quanti e quali fossero i fratelli di Giuseppe e me la cavo fra le complicate beghe familiari degli Atridi. Prima ancora di saper leggere mia Nonna era anche costretta dalla sua stessa bontà a leggermi durante un'ora "La Regina dei Caraibi" di Salgari e la vedo ancora mentre si sforzava di non addormentarsi leggendo ad alta voce delle prodezze del Corsaro Nero e delle smargiassate di Carmaux.

Finalmente si decise che questa cultura religiosa, classica e avventurosa vicariamente impartita non poteva durare più a lungo, e si decise di affidarmi alle cure di "Donna Carmela", una maestra elementare di S. Margherita. Adesso le maestre elementari sono delle signorine vivaci, eleganti che ti parlano di metodi pedagogici di Pestalozzi e di James e che si fanno chiamare "professoresse". Nel 1905, e in Sicilia, una maestra elementare era una vecchietta più che a metà contadina, con la testa occhialuta racchiusa in uno scialle nero; viceversa essa sapeva insegnare alla perfezione; in due mesi sapevo leggere e scrivere, non avevo più dubbi circa le doppie consonanti e le sillabe accentate. Durante intere settimane, nella "stanza bleu" che dava sul secondo cortile, separata dalla mia "stanza rosa" soltanto da un corridoio, dovetti eseguire delle dettature sillabate, cioè "del-le det-ta-tu-re sil-la-ba-te" e ripetere diecine di volte "di, do, da, fo, fa, fu, qui e qua non prendono mai l'accento". Sante fatiche, del resto; *mercé le quali non mi capiterà mai, come capita a un illustre senatore, di sorprendermi della frequenza dell'errore di stampa, nei giornali e nei manifesti, che fa scrivere "Reppubblica" con due B.*

Quando ebbi appreso a scrivere l'italiano, mia Madre mi apprese a scrivere in francese: parlare lo parlavo già ed ero stato molte volte a Parigi, ed in Francia. Ma a leggere imparai a S. Margherita. Vedo ancora mia Madre seduta con me davanti a una scrivania scrivere lentamente e con grande chiarezza "*le chien, le cat, le cheval*" su una colonna di un quaderno con copertina azzurra lucida ed insegnarmi che "ch" in francese è "sc", come in italiano "scirocco e Sciacca", diceva lei.

LA GIOIA E LA LEGGE

Quando salì in autobus infastidì tutti.

La cartella stipata di fogli altrui, l'enorme involto che gli faceva arcuare il braccio sinistro, il fasciacollo di felpa grigia, il parapioggia sul punto di sbocciare, tutto gli rendeva difficile l'esibizione del biglietto di ritorno; fu costretto a poggiare il paccone sul deschetto del bigliettaio, provocò una frana di monetine imponderabili, tentò di chinarsi per raccattarle, suscitò le proteste di coloro che stavano dietro di lui e cui le sue more incutevano il panico di aver la falde dei cappotti attanagliate dallo sportello automatico. Riuscì ad inserirsi nella fila di gente aggrappata alle passatoie; era esile di corporatura ma l'affardellamento suo gli conferiva la cubatura di una suora rigonfia di sette sottane. Mentre si slittava sulla fanghiglia attraverso il caos miserabile del traffico, l'inopportunità della sua mole propagò il malcontento dalla coda alla testa del carrozzone: pestò piedi, gliene pestarono, suscitò rimproveri e quando udì perfino dietro di sé tre sillabe che alludevano a suoi presunti infortuni coniugali, l'onore gl'ingiunse di voltare la testa e s'illuse di aver posto una minaccia nell'espressione sfinita degli occhi.

Si percorrevano intanto strade nelle quali facciate di un rustico barocco nascondevano un retroterra abbietto che per altro riusciva a saltar fuori ad ogni cantone; si sfilò davanti alle luci giallognole di negozi ottuagenari.

Giunto alla sua fermata suonò il campanello, discese, incespicò nel parapioggia, si ritrovò finalmente isolato sul suo metro quadrato di marciapiede sconnesso; si affrettò a constatare la presenza del portafoglio di plastica. E fu libero di assaporare la propria felicità.

Racchiuse nel portafoglio erano trentasettemiladuecentoquarantacinque lire, la "tredicesima" riscossa un'ora fa, e cioè l'assenza di parecchie spine: quella del padrone di casa, tanto più insistente in quanto bloccato ed al quale doveva due trimestri di pigione; quella del puntualissimo esattore delle rate per la giacca di "lapin" della moglie ("Ti sta molto meglio di un mantello lungo, cara, ti snellisce"); quella delle occhiatacce del pescivendolo e del verduraio. Quei quattro biglietti di grosso taglio eliminavano anche il timore per la prossima bolletta della luce, gli sguardi affannosi alle scarpette dei bambini, l'osservazione ansiosa del tremolare delle fiammelle del gas liquido; non rappresentavano l'opulenza certo, no davvero, ma promettevano una pausa dell'angoscia, il che è la vera gioia dei poveri; e magari un paio di migliaia di lire sarebbe sopravvissuto un attimo per consumarsi poi nel fulgore del pranzo di Natale.

Ma di "tredicesime" ne aveva avute troppe perché potesse attribuire all'esilarazione fugace che esse producevano l'euforia che adesso lo lievitava, rosea. Rosea, sì, rosea come l'involucro del peso soave che gli indolenziva il braccio sinistro. Essa germogliava proprio fuori del panettone di sette chili che aveva riportato dall'ufficio. Non che egli andasse pazzo per quel miscuglio quanto mai garentito e quanto mai dubbio di farina, zucchero, uova in polvere e uva passa. Anzi, in fondo in fondo, non gli piaceva. Ma sette chili di roba di lusso in una volta sola! una circoscritta ma vasta abbondanza in una casa nella quale i cibi entravano a etti e mezzi litri! un prodotto illustre in una dispensa votata alle etichette di terz'ordine! Che gioia per Maria! che schiamazzi per i bambini che durante due settimane avrebbero percorso quel Far-West inesplorato, una merenda!

Queste però erano le gioie degli altri, gioie materiali fatte di vaniglina e di cartone colorato, panettoni insomma. La sua felicità personale era ben diversa, una felicità spirituale, mista di orgoglio e di tenerezza; sissignori, spirituale.

Quando poco prima il Commendatore che dirigeva il suo ufficio aveva distribuito buste-paga e auguri natalizi con l'altezzosa bonomia di quel vecchio gerarca che era, aveva anche detto che il panettone di sette chili che la Grande Ditta Produttrice aveva inviato in omaggio all'ufficio sarebbe stato assegnato all'impiegato più meritevole, e che quindi pregava i cari collaboratori di voler democraticamente (proprio così disse) designare il fortunato, seduta stante.

Il panettone intanto stava lì, al centro della scrivania, greve, ermeticamente chiuso, "onusto di presagi" come lo stesso Commendatore avrebbe detto venti anni fa, in orbace. Fra i colleghi erano corse risatine e mormorii; poi tutti, e il Direttore per il primo, avevano gridato il suo nome. Una grande soddisfazione, un'assicurazione della continuità dell'impiego, un trionfo, per dirlo in breve; e nulla poi era valso a scuotere quella tonificante sensazione, né le trecento lire che aveva dovuto pagare al "bar" di sotto, nel duplice lividume del tramonto burrascoso e del "neon" a bassa tensione, quando aveva offerto il caffè agli amici, né il peso del bottino, né le parolacce intese in autobus; nulla, neppure il balenare nelle profondità della sua coscienza che si era trattato di un attimo di sdegnosa pietà per il più bisognoso fra gli impiegati; era davvero troppo povero per permettere che l'erbaccia della fierezza spuntasse dove non doveva.

Si diresse verso casa sua attraverso una strada decrepita cui i bombardamenti quindici anni prima avevano dato le ultime rifiniture. Giunse alla piazzetta spettrale in fondo alla quale stava rannicchiato l'edificio fantomale.

Ma salutò gagliardamente il portinaio Cosimo che lo disprezzava perché sapeva che percepiva uno stipendio inferiore al proprio. Nove scalini, tre scalini, nove scalini: il piano dove abitava il cavaliere Tizio. Puah! Aveva la millecento, è vero, ma anche una moglie brutta, vecchia e scostumata. Nove scalini, tre scalini, uno sdrucciolone, nove scalini: l'alloggio del dottor Sempronio: peggio che mai! Un figlio scioperato che ammattiva per Lambrette e Vespe, e poi l'anticamera sempre vuota. Nove scalini, tre scalini, nove scalini: l'appartamento suo, l'alloggetto di un uomo benvoluto, onesto, onorato, premiato, di un ragioniere fuoriclasse.

Aprì la porta, penetrò nell'ingresso esiguo già ingombro dell'odore di cipolla soffritta; su di una cassapanchina grande come un cesto depose il pesantissimo pacco, la cartella gravida d'interessi altrui, il fasciacollo ingombrante. La sua voce squillò: "Maria! vieni presto! Vieni a vedere che bellezza!"

La moglie uscì dalla cucina, in una vestaglia celeste segnata dalla fuliggine delle pentole, con le piccole mani arrossate dalle risciacquature posate sul ventre deformato dai parti. I bimbi col moccio al naso si stringevano attorno al monumento roseo, e squittivano senza ardire toccarlo.

"Bravo! e lo stipendio lo hai portato? Non ho più una lira, io." "Eccolo, cara; tengo per me soltanto gli spiccioli, duecento quarantacinque lire. Ma guarda che grazia di Dio!"

Era stata carina, Maria, e fino a qualche anno fa aveva avuto un musetto arguto, illuminato dagli occhi capricciosi. Adesso le beghe con i bottegai avevano arrochito la sua voce, i cattivi cibi guastato la sua carnagione, lo scrutare incessante di un avvenire carico di nebbie e di scogli spento il lustro degli occhi. In lei sopravviveva soltanto un'anima santa, quindi inflessibile e priva di tenerezza, una bontà profonda costretta ad esprimersi con rimbrotti e divieti; ed anche un orgoglio di casta mortificato ma tenace, perché essa era nipote di un grande cappellaio di via Indipendenza e disprezzava le non omologhe origini del suo Girolamo che poi adorava come si adora un bimbo stupido ma caro.

Lo sguardo di lei scivolò indifferente sul cartone adorno. "Molto bene. Domani lo manderemo all'avvocato Risma, al quale siamo molto obbligati."

L'avvocato, due anni fa, aveva incaricato lui di un complicato lavoro contabile, e, oltre ad averlo pagato, li aveva invitati ambedue a pranzo nel proprio appartamento astrattista e metallico nel quale il ragioniere aveva sofferto come un cane per via delle scarpe comprate apposta. E adesso per questo legale che non aveva bisogno di niente, la sua Maria, il sua Andrea, il suo Saverio, la piccola Giuseppina, lui stesso, dovevano rinunziare all'unico filone di abbondanza scavato in tanti anni!

Corse in cucina, prese il coltello e si slanciò a tagliare i fili dorati che un'industre operaia milanese aveva bellamente annodato attorno all'involucro; ma una mano arrossata gli toccò stancamente la spalla: "Girolamo, non fare il bambino. Lo sai che dobbiamo disobbligarci con Risma."

Parlava la Legge, la Legge emanata dai cappellai intemerati.

"Ma cara, questo è un premio, un attestato di merito, una prova di considerazione!"

"Lascia stare. Bella gente quei tuoi colleghi per i sentimenti delicati! Una elemosina, Girì, nient'altro che un'elemosina." Lo chiamava col vecchio nome di affetto, gli sorrideva con gli occhi nei quali lui solo poteva rintracciare gli antichi incanti.

"Domani comprerai un altro panettone piccolino, per noi basterà; e quattro di quelle candele rosse a tirabusciò che sono esposte alla Standa; così sarà festa grande."

Il giorno dopo, infatti, lui acquistò un panettoncino anonimo, non quattro ma due delle stupefacenti candele e, per mezzo di un'agenzia, mandò il mastodonte all'avvocato Risma, il che gli costò altre duecento lire.

Dopo Natale, del resto, fu costretto a comprare un terzo dolce che, mimetizzato in fette, dovette portare ai colleghi che lo avevano preso in giro perché non aveva dato loro neppure un briciolo della preda sontuosa.

Una cortina di nebbia calò poi sulla sorte del panettone primigenio.

Si recò all'agenzia "Fulmine" per reclamare. Gli venne mostrato con disprezzo il registrino delle ricevute sul quale il domestico dell'avvocato aveva firmato a rovescio. Dopo l'Epifania però arrivò un biglietto da visita "con vivissimi ringraziamenti ed auguri."

L'onore era stato salvato.

LA SIRENA

Nel tardo autunno di quell'anno 1838 mi trovavo in piena crisi di misantropia. Risiedevo a Torino e la "tota" n. 1, frugando nelle mie tasche alla ricerca di un qualche biglietto da cinquanta lire, aveva, mentre dormivo, scoperto anche una letterina della "tota" n. 2 che pur attraverso scorrettezze ortografiche non lasciava dubbi circa la natura delle nostre relazioni.

Il mio risveglio era stato immediato e burrascoso. L'alloggetto di via Peyron echeggiò di escandescenze vernacole; per cavarmi gli occhi venne anche fatto un tentativo che potei mandare a vuoto soltanto storcendo un poco il polso sinistro della cara figliuola. Quest'azione di difesa pienamente giustificata pose fine alla scenata ma anche all'idillio. La ragazza si rivestì in fretta, ficcò nella borsetta piumino, rossetto, fazzolettino, il biglietto da cinquanta "causa mali tanti", mi scaraventò sul viso un triplice "pourcoun!" e se ne andò. Mai era stata carina quanto in quel quarto d'ora di furia. Dalla finestra la vidi uscire e allontanarsi nella nebbiolina del mattino, alta, slanciata, adorna di riconquistata eleganza.

Non la ho vista mai più come non ho più rivisto

un "pull over" di cascemir nero che mi era costato un occhio e che aveva il funesto pregio di una foggia adatta tanto a maschi quanto a femmine. Essa lasciò soltanto, sul letto, due di quelle forcinette attorcigliate, dette "invisibili".

Lo stesso pomeriggio avevo un appuntamento con la n. 2 in una pasticceria di piazza Carlo Felice. Al tavolinetto rotondo nell'angolo ovest della seconda sala che era il "nostro" non vidi le chiome castane della fanciulla più che mai desiderata ma la faccia furbesca di Tonino, un suo fratello di dodici anni che aveva appena finito di inghiottire una cioccolata con doppia panna. Quando mi avvicinai si alzò con la consueta urbanità torinese. "Monsù" mi disse "la Pinotta non verrà; mi ha detto di darle questo biglietto. Cerea, monsù." E uscì portando via due "brioches" rimaste nel piatto. Col cartoncino color avorio mi si notificava un congedo assoluto, motivato dalla mia infamia e "disonestà meridionale". Era chiaro che la n. 1 aveva rintracciato e sobillato la n. 2 e che io ero rimasto seduto fra due sedie.

In dodici ore avevo perduto due ragazze utilmente complementari fra loro più un "pull over" al quale tenevo; avevo anche dovuto pagare le consumazioni dell'infernale Tonino. Il mio sicilianissimo amor proprio era umiliato: ero stato fatto fesso; e decisi di abbandonare per qualche tempo il mondo e le sue pompe.

Per questo periodo di ritiro non poteva trovarsi luogo più acconcio di quel caffè di via Po dove adesso, solo come un cane, mi recavo ad ogni momento libero e, sempre, la sera dopo il mio lavoro al giornale. Era una specie di Ade popolato da esangui ombre di tenenti colonnelli, magistrati e professori in pensione. Queste vane apparenze giocavano a dama o a domino, immerse in una luce oscurata il giorno dai portici e dalle nuvole, la sera dagli enormi paralumi verdi dei lampadari; e non alzavano mai la voce timorosi com'erano che un suono troppo forte avrebbe fatto scomporsi la debole trama della loro apparenza. Un adattissimo Limbo.

Come l'animale abitudinario che sono, sedevo sempre al medesimo tavolino d'angolo accuratamente disegnato per offrire il massimo incomodo possibile al cliente. Alla mia sinistra due spettri d'ufficiali superiori giocavano a "tric-trac" con due larve di consiglieri di corte d'appello; i dadi militari e giudiziari scivolavano atoni fuori dal bicchiere di cuoio. Alla mia sinistra sedeva sempre un signore di età molto avanzata, infagottato in un cappotto vecchio con colletto di un astrakan spelacchiato. Leggeva senza tregua riviste straniere, fumava sigari toscani e sputava spesso; ogni tanto chiudeva le riviste, sembrava inseguire nelle volute di fumo un qualche suo ricordo. Dopo, ricominciava a leggere ed a sputare. Aveva bruttissime mani, nocchierute, rossastre con le unghie tagliate dritte e non sempre pulite, ma una volta che in una delle sue riviste s'imbatté nella fotografia d'una statua greca arcaica, di quelle con gli occhi lontani dal naso e col sorriso ambiguo, mi sorpresi vedendo che i suoi deformi polpastrelli accarezzavano l'immagine con una delicatezza addirittura regale. Si accorse che lo avevo visto, grugnì di furore e ordinò un secondo espresso.

Le nostre relazioni sarebbero rimaste su quel piano di latente ostilità non fosse stato un fortunato incidente. Io portavo con me dalla redazione cinque o sei quotidiani, fra essi, una volta, il *Giornale di Sicilia*. Erano gli anni nei quali il Minculpop più infieriva, e tutti i giornali erano identici; quel numero del quotidiano palermitano era più banale che mai e non si distingueva da un giornale di Milano e di Roma se non per la imperfezione tipografica; la mia lettura di esso fu quindi breve e presto abbandonai il foglio sul tavolino. Avevo appena iniziato la contemplazione di un'altra incarnazione del Minculpop quando il mio vicino mi indirizzò la parola: "Mi scusi, signore, Le dispiacerebbe se dessi una scorsa a questo suo *Giornale di Sicilia*? Sono siciliano e da venti anni non mi capita di vedere un giornale delle mie parti." La voce era quanto mai coltivata, l'accento impeccabile; gli occhi grigi del vecchio mi guardavano con profondo distacco. "Prego, faccia pure. Sa, sono siciliano anch'io, se lo desidera mi è facile portare qui il giornale ogni sera." "Grazie, non credo sia necessario; la mia è una semplice curiosità fisica. Se la Sicilia è ancora come ai tempi miei, immagino che non vi succede mai niente di buono, come da tremila anni."

Leggiucchiò il foglio, lo ripiegò, me lo restituì e s'ingolfò nella lettura di un opuscolo. Quando se ne andò voleva evidentemente svignarsela senza salutare ma io mi alzai e mi presentai; mormorò fra i denti il proprio nome che non compresi; ma non mi tese la mano; sulla soglia del caffè, però, si voltò, alzò il cappello e gridò forte: "Ciao, paesano." Scomparve sotto i portici lasciandomi sbalordito e provocando gemiti di disapprovazione fra le ombre che giocavano.

Compii i riti magici atti a far materializzare un cameriere e gli chiesi mostrando il tavolo vuoto: "Chi era quel signore?" "Chiel," rispose. "Chiel l'è 'l senatour Rosario La Ciura."

Il nome diceva molto anche alla mia lacunosa cultura giornalistica: era quello di uno dei cinque o sei italiani che posseggono una riputazione universale e indiscussa, quello del più illustre ellenista dei nostri tempi. Mi spiegai le corpulente riviste e l'incisione accarezzata; anche la scontrosità ed anche la raffinatezza celata.

L'indomani, al giornale, frugai in quel singolare schedario che contiene i necrologi ancora "in spe". La scheda "La Ciura" era lì, passabilmente redatta, una volta tanto. Vi si diceva come il grand'uomo fosse nato ad Aci-Castello (Catania) in una povera famiglia della piccola borghesia, come mercé una stupefacente attitudine allo studio del greco ed a forza di borse di studio e pubblicazioni erudite avesse ottenuto a ventisette anni la cattedra di letteratura greca all'Università di Pavia; come poi fosse stato chiamato a quella di Torino dove era rimasto sino al compimento dei limiti di età; aveva tenuto dei corsi a Oxford e a Tübingen e compiuto molti viaggi anche lunghi perché, senatore pre-fascista e accademico dei Lincei, era anche dottore "honoris causa" a Yale, Harvard, Nuova Delhi e Tokio oltre che, s'intende, delle più illustri università europee da Upsala a Salamanca. L'elenco delle sue pubblicazioni era lunghissimo e molte sue opere, specie sui dialetti ionici, erano reputate fondamentali; basti dire che aveva ricevuto l'incarico, unico straniero, di curare l'edizione teubneriana di Esiodo cui aveva premesso una introduzione latina d'insorpassata profondità scientifica; infine, gloria massima, non era membro dell'Accademia d'Italia. Ciò che lo aveva sempre distinto dagli altri pur eruditissimi colleghi era il senso vivace, quasi carnale, dell'antichità classica e ciò si era manifestato in una raccolta di saggi italiani *Uomini e dei* che era stata stimata opera non soltanto di alta erudizione ma di viva poesia. Insomma era "l'onore di una nazione e un faro di tutte le colture", così concludeva il compilatore della scheda. Aveva 75 anni e viveva, lontano dall'opulenza, ma decorosamente con la sua pensione e l'indennità senatoriale. Era celibe.

È inutile negarlo: noi italiani figli (o padri) di primo letto del Rinascimento stimiamo il Grande Umanista superiore a qualsiasi altro essere umano. La possibilità di trovarmi adesso in quotidiana prossimità del più alto rappresentante di questa sapienza delicata, quasi necromantica e poco redditizia, mi lusingava e turbava; provavo le medesime sensazioni di un giovane statunitense che venga presentato al signor Gillette; timore, rispetto e una forma particolare di non ignobile invidia.

La sera discesi al Limbo in uno spirito ben diverso dei giorni precedenti. Il senatore era già al suo posto e rispose al mio saluto reverenziale con un borbottio appena percettibile. Quando però ebbe finito di leggere un articolo e di completare alcuni appunti su una sua agendina, si voltò verso di me e con la voce stranamente musicale: "Paesano," mi disse, "dai modi come mi hai salutato mi sono accorto che qualcuna di queste larve qui ti ha detto chi sono. Dimenticalo e, se non lo hai già fatto, dimentica anche gli aoristi studiati al liceo. Dimmi piuttosto come ti chiami perché ieri sera hai fatto la solita presentazione farfugliata ed io non ho, come te, la risorsa di chiedere il tuo nome ad altri, perché qui, certo, nessuno ti conosce."

Parlava con insolente distacco; si avvertiva che io ero per lui assai meno di uno scarafaggio, una specie di quelle bricioluzze di pulviscolo che roteano senza costrutto nei raggi del sole. Però la voce pacata, la parola precisa, il "tu", davano la sensazione di serenità di un dialogo platonico.

"Mi chiamo Paolo Corbèra, sono nato a Palermo, dove mi sono laureato in legge; adesso lavoro qui alla redazione della *Stampa*. Per rassicurarla, senatore, aggiungerò che alla licenza liceale ho avuto 'cinque più' in greco, e che ho motivo che il 'più' sia stato aggiunto proprio per poter darmi il diploma."

Sorrise di mezza bocca. "Grazie di avermelo detto, meglio così. Detesto di parlare con gente che crede di sapere mentre invece ignora, come i miei colleghi all'Università; in fondo in fondo non conoscono che le forme esteriori del greco, le sue stramberie e difformità. Lo spirito vivo di questa lingua scioccamente chiamata 'morta' non è stato loro rivelato. Nulla è stato loro rivelato, d'altronde. Povera gente, del resto: come potrebbero avvertirlo questo spirito se non hanno mai avuto occasione di sentirlo, il greco?"

L'orgoglio sì, va bene, è preferibile alla falsa modestia; ma a me sembrava che il senatore esagerasse; mi balenò anche l'idea che gli anni fossero riusciti a rammorbidire alquanto quel cervello eccezionale. Quei poveri diavoli dei suoi colleghi avevano avuto l'occasione di udire il greco antico proprio quanto lui, cioè mai.

Lui proseguiva: "Paolo... Sei fortunato di chiamarti come il solo apostolo che avesse un po' di cultura e una qualche infarinatura di buone lettere. Girolamo però sarebbe stato meglio. Gli altri nomi che voi cristiani portate in giro sono veramente troppo vili. Nomi da schiavi."

Continua a deludermi; sembrava davvero il solito mangiapreti accademico con in più un pizzico di nietzscheismo fascista. Era mai possibile?

Continuava a parlare con l'avvincente modulazione della sua voce e con la foga di chi, forse, era stato molto tempo in silenzio. "Corbèra... M'inganno o non è questo un grande nome siciliano? Ricordo che mio padre pagava per la nostra casa di Aci-Castello un piccolo cànone annuo all'amministrazione di una casa Corbera di Palina o Salina, non ricordo più bene. Anzi ogni volta scherzava e diceva che se al mondo vi era una cosa sicura era che quelle poche lire non sarebbero finite nelle tasche del 'dominio diretto,' come diceva lui. Ma tu sei proprio uno di quei Corbera o soltanto il discendente di un qualche contadino che ha preso il nome del signore?"

Confessai che ero proprio un Corbera di Salina, anzi il solo esemplare superstite di questa famiglia: tutti i fasti, tutti i peccati, tutti i canoni inesatti, tutti i pesi non pagati, tutte le Gattoparderie insomma erano concentrate in me solo. Paradossalmente il senatore sembrò contento.

"Bene, bene. Io ho molta considerazione per le vecchie famiglie. Esse posseggono una memoria, minuscola è vero, ma ad ogni modo maggiore delle altre. Sono quanto di meglio, voialtri, possiate raggiungere in fatto d'immortalità fisica. Pensa a sposarti presto, Corbera, dato che voialtri non avete trovato nulla di meglio, per sopravvivere, che il disperdere la vostra semente nei posti più strani."

Decisamente, mi spazientiva. "Voialtri, voialtri." Chi voialtri? Tutto il vile gregge che non aveva la fortuna di essere il senatore La Ciura? E lui la conseguiva l'immortalità fisica? Non si sarebbe detto a guardare il volto rugoso, il corpo pesante...

"Corbera di Salina," continuava imperterrito. "Non ti offenderai se continuo a darti del tu come a uno dei miei studentelli che, un istante, sono giovani?"

Mi professai non solo onorato ma lieto, come infatti ero. Superate ormai le questioni di nomi e di protocollo, si parlò della Sicilia. Lui erano venti anni che non ci metteva piede e l'ultima volta che era stato laggiù (così diceva, al modo piemontese) vi era rimasto soltanto cinque giorni, a Siracusa, per discutere con

Paolo Orsi alcune quistioni circa l'alternarsi dei semicori nelle rappresentazioni classiche. "Ricordo che mi hanno voluto portare in macchina da Catania a Siracusa; ho accettato solo quando ho appreso che ad Augusta la strada passa lontano dal mare, mentre la ferrovia è sul litorale. Raccontami della nostra isola; è una bella terra benché popolata da somari. Gli Dei vi hanno soggiornato, forse negli Agosti inesauribili vi soggiornano ancora. Non parlarmi però di quei quattro templi recentissimi che avete, tanto non ne capisci niente, ne sono sicuro."

Così parlammo della Sicilia eterna, di quella delle cose di natura; del profumo di rosmarino sui Nèbrodi, del gusto del miele di Melilli, dell'ondeggiare delle messi in una giornata ventosa di Maggio come si vede da Enna, delle solitudini intorno a Siracusa, delle raffiche di profumo riversate, si dice, su Palermo dagli agrumeti durante certi tramonti di Giugno. Parlammo dell'incanto di certe notti estive in vista del golfo di Castellammare, quando le stelle si specchiano nel mare che dorme e lo spirito di chi è coricato riverso fra i lentischi si perde nel vortice del cielo mentre il corpo, teso e all'erta, teme l'avvicinarsi dei demoni.

Dopo un'assenza quasi totale di cinquanta anni il Senatore conservava un ricordo singolarmente preciso di alcuni fatti minimi. "Il mare: il mare di Sicilia è il più colorito, il più romantico di quanti ne abbia visti; sarà la sola cosa che non riuscirete a guastare, fuori delle città, s'intende. Nelle trattorie a mare si servono ancora i 'rizzi' spinosi spaccati a metà?" Lo rassicurai aggiungendo però che pochi li mangiano adesso, per timore del tifo. "Eppure sono la più bella cosa che avete laggiù, quelle cartilagini sanguigne, quei simulacri di organi femminili, profumati di sale e di alghe. Che tifo e tifo! Saranno pericolosi come tutti i doni del mare che dà la morte insieme all'immortalità. A Siracusa li ho perentoriamente richiesti a Orsi. Che sapore, che aspetto divino! Il più bel ricordo dei miei ultimi cinquanta anni!"

Ero confuso ed affascinato; un uomo simile che si abbandonasse a metafore quasi oscene, che esibiva una golosità infantile per le, dopo tutto mediocri, delizie dei ricci di mare!

Parlammo ancora a lungo e lui, quando se ne andò, tenne a pagarmi l'espresso, non senza manifestare la sua singolare rozzezza ("Si sa, questi ragazzi di buona famiglia non hanno mai un soldo in tasca"), e ci separammo amici se non si vogliono considerare i cinquanta anni che dividevano le nostre età e le migliaia di anni luce che separavano le nostre culture.

Continuammo ad incontrarci ogni sera e, benché il fumo del mio furore contro l'umanità cominciasse a dissiparsi, mi facevo un dovere di non mancare mai d'incontrare il senatore negli Inferi di via Po; non che si chiacchierasse molto: lui continuava a leggere e a prendere appunti e mi rivolgeva la parola solo di tanto in tanto, ma quando parlava era sempre un armonioso fluire di orgoglio e insolenza, misto ad allusioni disparate, a venature d'incomprensibile poesia. Continuava anche a sputare e finii col notare che lo faceva soltanto mentre leggeva. Credo che anche lui si fosse preso di un certo affetto per me, ma non mi faccio illusioni: se affetto c'era non era quello che uno di "noialtri" (per adoperare la terminologia del senatore) può risentire per un essere umano ma piuttosto era simile a quello che una vecchia zitella può provare verso il proprio cardellino del quale conosce la fatuità e l'incomprensività ma la cui esistenza le permette di esprimere ad alta voce rimpianti nei quali la bestiola non ha parte alcuna; però se questa non ci fosse essa risentirebbe un malessere. Cominciai a notare, infatti, che quando tardavo gli occhi alteri del vecchio erano fissi alla porta d'ingresso.

Ci volle circa un mese perché dalle considerazioni, originalissime sempre ma generiche da parte di lui, si passasse agli argomenti indiscreti che sono poi i soli a distinguere le conversazioni fra amici da quelle fra semplici conoscenze. Fui io stesso a prendere l'iniziativa. Quel suo sputare frequente m'infastidiva (aveva infastidito anche i custodi dell'Ade che finirono col porre vicino al suo posto una sputacchiera di tersissimo ottone) cosicché una sera ardii chiedergli perché non si facesse curare di questo suo insistente catarro. Feci la domanda senza riflettere, mi pentii subito di averla arrischiata e aspettavo che l'ira senatoriale facesse crollare sul mio capo gli stucchi del soffitto. Invece la voce ben timbrata mi rispose pacata: "Ma, caro Corbèra, io non ho nessun catarro. Tu che osservi con tanta cura avresti dovuto notare che non tossisco mai prima di sputare. Il mio sputo non è segno di malattia anzi lo è di salute mentale: sputo per disgusto delle sciocchezze che vo leggendo; se ti vorrai dare la pena di esaminare quell'arnese lì (e mostrava la sputacchiera) ti accorgerai che esso custodisce pochissima saliva e nessuna traccia di muco. I miei sputi sono simbolici e altamente culturali; se non ti garbano ritorna ai tuoi salotti natii dove non si sputa soltanto perché non ci si vuol nauseare mai di niente." La straordinaria insolenza era attenuata soltanto dallo sguardo lontano, nondimeno mi venne voglia di alzarmi e di piantarlo lì; per fortuna ebbi il tempo di riflettere che la colpa stava nella mia avventatezza. Rimasi, e l'impassibile senatore passò subito al contrattacco. "E tu, poi, perché frequenti questo Erebo pieno di ombre e, come dici, di catarri, questo luogo geometrico di vite fallite? A Torino non mancano quelle creature che a voialtri sembravano tanto desiderabili. Una gita all'albergo del Castello, a Rivoli o a Moncalieri allo stabilimento di bagni e il vostro sudicio sollazzo sarebbe presto realizzato." Mi misi a ridere sentendo da una bocca tanto sapiente informazioni così esatte sui luoghi di piacere torinesi. "Ma come fa Lei a conoscere questi indirizzi, senatore?" "Li conosco, Corbera, li conosco. Frequentando i Senati Accademici e politici si apprende questo, e questo soltanto. Mi farai però la grazia di esser convinto che i sordidi piaceri di voialtri non sono mai stati roba per Rosario La Ciura." Si sentiva che era vero: nel contegno, nelle parole del senatore vi era il segno inequivocabile (come si diceva nel 1938) di un riserbo sessuale che non aveva nulla da fare con l'età.

"La verità, senatore, è che ho cominciato a venir qui appunto come in un temporaneo asilo lontano dal mondo. Ho avuto dei guai proprio con due di queste ragazze da Lei tanto giustamente stigmatizzate." La risposta fu fulminea e spietata. "Corna, eh, Corbera? oppure malattie?" "Nessuno delle due cose: peggio: abbandono." E gli narrai i ridicoli avvenimenti di due mesi prima. Li narrai in modo lepido perché l'ulcera al mio amor proprio si era cicatrizzata; qualsiasi persona che non fosse stato quell'ellenista della malora mi avrebbe o preso in giro o, eccezionalmente, compatito. Ma il temibile vecchio non fece né l'uno né l'altro: s'indignò, invece. "Ecco che cosa succede, Corbera, quando ci si accoppia fra esseri ammalati e squallidi. Lo stesso del resto direi alle due sgualdrinelle parlando di te, se avessi il disgusto d'incontrarle." "Ammalate, senatore? Stavano d'incanto tutte e due; bisognava vederle come mangiavano quando si pranzava agli Specchi; e squallide poi, no: erano pezzi di figliuole magnifiche, ed eleganti anche." Il senatore sibilò uno dei suoi sputi sdegnosi. “Ammalate, ho detto bene, ammalate; fra cinquanta, sessanta anni, forse molto prima, creperanno; quindi sono fin da ora ammalate. E squallide anche: bella eleganza, quella loro, fatta di cianfrusaglie, di ‘pull over’ rubati e di moinette apprese al cinema. Bella generosità quella loro di andare a pesca di bigliettucci di banca untuosi nelle tasche dell’amante invece di regalare a lui, come altre fanno, perle rosate e rami di corallo. Ecco che cosa succede quando ci si mette con questi sgorbietti truccati. E non avevate ribrezzo, loro quanto te, te quanto loro, a sbaciucchiare queste vostre future carcasse fra maleodoranti lenzuola?” Risposi stupidamente: “Ma le lenzuola erano sempre pulitissime, senatore!” S’infuriò. “E che c’entrano le lenzuola? L’inevitabile lezzo di cadavere era il vostro. Ripeto, come fate a intrecciar bagordi con gente della loro, della tua risma?” Io che avevo di già adocchiato una deliziosa “cousette” di Ventura, mi offesi. “Ma insomma non si può mica andare a letto soltanto con delle Altezze Serenissime!” “Chi ti parla di Altezze Serenissime? Queste sono materiale da carnaio come le altre. Ma questo non lo puoi capire, giovanotto, ho torto io a dirtelo. È fatale che tu e le tue amiche v’inoltriate nelle mefitiche paludi dei vostri piaceri immondi. Pochissimi sono coloro che sanno.” Con gli occhi rivolti al soffitto si mise a sorridere; il suo volto aveva un’espressione rapita; poi mi tese la mano e se ne andò.

Non si vide durante tre giorni; il quarto mi giunse una telefonata in redazione. “L’è monsù Corbera? Io sono la Bettina, la governante del signor senatore La Ciura. Le fa dire che ha avuto un forte raffreddore, che adesso sta meglio e che vuol vederla stasera dopo cena. Venga in via Bertola 18, alle nove; al secondo piano." La comunicazione, perentoriamente interrotta, divenne inappellabile.

Il numero 18 di via Bertola era un vecchio palazzo malandato, ma l'appartamento del senatore era vasto e ben tenuto, suppongo mercé le insistenze della Bettina. Fin dalla sala d'ingresso cominciava la sfilata dei libri, di quei libri di aspetto modesto e di economica rilegatura di tutte le biblioteche vive. Ve ne erano migliaia nelle tre stanze che attraversai. Nella quarta sedeva il senatore avvolto in un'amplissima veste da camera di pelo di cammello, fine e soffice come non ne avevo mai viste. Seppi poi che non di cammello si trattava ma di preziosa lana di una bestia peruviana e che era un dono del Senato Accademico di Lima. Il senatore si guardò bene dall'alzarsi quando entrai ma mi accolse con cordialità grande; stava meglio, anzi del tutto bene, e contava rimettersi in circolazione non appena l'ondata di gelo che in quei giorni pesava su Torino si fosse mitigata. Mi offrì del vino resinoso cipriota, dono dell'Istituto Italiano di Atene, degli atroci "lukums" rosa, offerti dalla Missione Archeologica di Ankala, e dei più razionali dolci torinesi acquistati dalla previdente Bettina. Era tanto di buon umore che sorrise ben due volte con tutta la bocca e che giunse perfino a scusarsi delle proprie escandescenze nell'Ade. "Lo so, Corbera, son stato eccessivo nei termini per quanto, credimi, moderato nei concetti. Non ci pensare più." Non vi pensavo davvero anzi mi sentivo pieno di rispetto per quel vecchio che sospettavo di essere quanto mai infelice malgrado la sua carriera trionfale. Lui divorava gli abominevoli "lukums". "I dolci, Corbera, debbono essere dolci e basta. Se hanno anche un altro sapore sono come dei baci perversi." Dava larghe briciole ad Eaco, un grande "boxer" che era entrato a un certo punto. "Questo, Corbera, per chi sa comprenderlo, rassomiglia più agl'Immortali, malgrado la sua bruttezza, delle tue sgrinfiette." Rifiutò di farmi vedere la biblioteca. "Tutta roba classica che non può interessare uno come te, moralmente bocciato in greco." Ma mi fece fare il giro della stanza nella quale eravamo che era poi il suo studio. Vi erano pochi libri e fra essi notai il Teatro di Tirso de Molina, la *Undine* di Lamotte-Fouqué, il dramma omonimo di Giraudoux e, con mia sorpresa, le opere di H.G. Wells; ma in compenso alle pareti vi erano enormi fotografie, a grandezza naturale, di statue greche arcaiche; e non le solite fotografie che tutti noi possiamo procurarci ma esemplari stupendi evidentemente richiesti con autorità ed inviati con devozione dai musei di tutto il mondo. Vi erano tutte, quelle magnifiche creature: il "Cavaliere" del Louvre, la "Dea seduta" di Taranto che è a Berlino, il "Guerriero" di Delfi, la "Corè" dell'Acropoli, l'"Apollo di Piombino", la "Donna Lapita" e il "Febo" di Olimpia, il celeberrimo "Auriga"... La stanza balenava dei loro sorrisi estatici ed insieme ironici, si esaltava nella risposata alterigia del loro portamento. "Vedi, Corbera, queste sì, magari; le 'totine,' no." Sul caminetto anfore e crateri antichi: Odisseo legato all'albero della nave, le Sirene che dall'alto della rupe si sfracellavano sugli scogli in espiazione di aver lasciato sfuggire la preda. "Frottole queste, Corbera, frottole piccolo-borghesi dei poeti; nessuno sfugge e quand'anche qualcuno fosse scampato le Sirene non sarebbero morte per così poco. Del resto come avrebbero fatto a morire?"

Su di un tavolino, in una modesta cornice, una fotografia vecchia e sbiadita; un giovane ventenne, quasi nudo, dai ricci capelli scomposti, con una espressione baldanzosa sui lineamenti di rara bellezza. Perplesso, mi fermai un istante: credevo di aver capito. Niente affatto. "E questo, paesano, questo era ed è, e sarà (accentuò fortemente) Rosario La Ciura."

Il povero senatore in veste da camera era stato un giovane dio.

Poi parlammo d'altro e prima che me ne andassi mi mostrò una lettera in francese del Rettore dell'Università di Coimbra che lo invitava a far parte del comitato d'onore nel congresso di studi greci che in maggio si sarebbe svolto in Portogallo. "Sono molto contento; m'imbarcherò a Genova sul *Rex* insieme ai congressisti francesi, svizzeri e tedeschi. Come Odisseo mi turerò le orecchie per non sentire le fandonie di quei minorati, e saranno belle giornate di navigazione: sole, azzurro, odor di mare."

Uscendo ripassammo davanti allo scaffale nel quale stavano le opere di Wells e osai sorprendermi di vederle lì. "Hai ragione, Corbera, sono un orrore. Vi è poi un romanzetto che se lo rileggessi mi farebbe venir la voglia di sputare per un mese di fila; e tu, cagnolino da salotto come sei, te ne scandalizzeresti."

Dopo questa mia visita le nostre relazioni divennero decisamente cordiali; da parte mia, per lo meno. Feci elaborati preparativi per far venire da Genova dei ricci di mare ben freschi. Quando seppi che essi sarebbero arrivati l'indomani mi procurai del vino dell'Etna e del pane di contadini e, timoroso, invitai il senatore a visitare il mio quartierino. Con mio grande sollievo accettò contentissimo. Andai a prenderlo con la mia Balilla, lo trascinai sino a via Peyron che è un po' al diavolo verde. In macchina aveva un po' di paura e nessuna fiducia nella mia perizia di guidatore. "Ti conosco, adesso, Corbera; se abbiamo la sventura d'incontrare uno dei tuoi sgorbietti in sottana, sarai capace di voltarti e andremo tutti e due a spaccarci il muso contro un cantone." Non incontrammo nessun aborto in gonnella degno di nota e arrivammo intatti.

Per la prima volta da quando lo conoscevo vidi il senatore ridere: fu quando entrammo nella mia camera da letto. "E così, Corbera, questo è il teatro delle tue lercie avventure." Esaminò i miei pochi libri. "Bene, bene. Sei forse meno ignorante di quel che sembri. Questo qui" aggiunse prendendo in mano il mio Shakespeare "questo qui qualche cosa la capiva. *'A sea–change into something rich and strange.'*[1] *'What potions have I drunk of Siren tears?'*"[2]

Quando, in salotto, la buona signora Carmagnola entrò portando il vassoio con i ricci, i limoni e il resto, il senatore rimase estatico. "Come? hai pensato a questo? Come fai a sapere che sono la cosa che desidero di più?" "Può mangiarli sicuro, senatore, ancora stamani erano nel mare della Riviera." "Già, già, voialtri siete sempre gli stessi, con le vostre servitù di decadenza, di putrescibilità; sempre con le lunghe orecchie intente a spiare lo strascichio dei passi della Morte. Poveri diavoli! Grazie, Corbera, sei stato un buon 'famulus'. Peccato che non siano del mare di laggiù, questi ricci, che non siano avvolti nelle nostre alghe; i loro aculei non hanno certo mai fatto versare un sangue divino. Certo hai fatto quanto era possibile, ma questi sono ricci quasi boreali, che sonnecchiavano sulle fredde scogliere di Nervi o di Arenzano." Si vedeva che era uno di quei siciliani per i quali la Riviera Ligure, regione tropicale per i milanesi, è invece una specie d'Islanda. I ricci, spaccati, mostravano le loro carni ferite, sanguigne, stranamente compartimentate. Non vi avevo mai badato prima di adesso, ma dopo i bizzarri paragoni del senatore, essi mi sembravano davvero

[1] Shakespeare, *The Tempest*, I, 1, 394. [*N.d.R.*]
[2] Shakespeare, *The Sonnets*, 119. [*N.d.R.*]

una sezione fatta in chissà quali delicati organi femminili. Lui li degustava con avidità ma senza allegria, raccolto, quasi compunto. Non volle strizzarvi sopra del limone. "Voialtri, sempre con i vostri sapori accoppiati! Il riccio deve sapere anche di limone, lo zucchero anche di cioccolata, l'amore anche di paradiso!" Quando ebbe finito bevve un sorso di vino, chiuse gli occhi. Dopo un po' mi avvidi che da sotto le palpebre avvizzite gli scivolavano due lagrime. Si alzò, si avvicinò alla finestra, si asciugò guardingo gli occhi. Poi si volse. "Sei stato mai ad Augusta, tu, Corbera?" Vi ero stato tre mesi da recluta; durante le ore di libera uscita in due o tre si prendeva una barca e si andava in giro nelle acque trasparenti dei golfi. Dopo la mia risposta tacque; poi, con voce irritata: "E in quel golfettino interno, più in su di punta Izzo, dietro la collina che sovrasta le saline, voi cappelloni siete mai andati?" "Certo; è il più bel posto della Sicilia, per fortuna non ancora scoperto dai dopolavoristi. La costa è selvaggia, è vero, senatore? completamente deserta, non si vede neppure una casa; il mare è del colore dei pavoni; e proprio di fronte, al di là di queste onde cangianti, sale l'Etna; da nessun altro posto è bello come da lì, calmo, possente, davvero divino. È uno di quei luoghi nei quali si vede un aspetto eterno di quell'isola che tanto scioccamente ha volto le spalle alla sua vocazione che era quella di servir da pascolo per gli armenti del sole."

Il senatore taceva. Poi: "Sei un buon ragazzo, Corbera; se non fossi tanto ignorante si sarebbe potuto fare qualcosa di te." Si avvicinò, mi baciò in fronte. "Adesso vai a prendere il tuo macinino. Voglio andare a casa."

Durante le settimane seguenti continuammo a vederci al solito. Adesso facevamo delle passeggiate notturne, in generale giù per via Po e attraverso la militaresca piazza Vittorio, andavamo a guardare il fiume frettoloso e la Collina, là dove essi intercalano un tantino di fantasia nel rigore geometrico della città. Cominciava la primavera, la commovente stagione di gioventù minacciata; nelle sponde spuntavano i primi lillà, le più premurose fra le coppiette senza asilo sfidavano l'umidità dell'erba. "Laggiù il sole brucia di già, le alghe fioriscono; i pesci affiorano a pelo d'acqua nelle notti di luna e s'intravedono guizzi di corpi fra le spume luminose; noi stiamo qui davanti a questa corrente di acqua insipida e deserta, a questi casermoni che sembrano soldati o frati allineati; e udiamo i singhiozzi di questi accoppiamenti di agonizzanti." Lo rallegrava però di pensare alla prossima navigazione fino a Lisbona; la partenza era ormai vicina. "Sarà piacevole; dovresti venire anche tu; peccato però che non sia una comitiva per deficienti in greco; con me si può ancora parlare in italiano, ma se con Zuckmayer o Van der Voos non dimostrassi di conoscere gli ottativi di tutti i verbi irregolari saresti fritto; benché forse della realtà greca sei forse più conscio di loro; non per coltura, certo, ma per istinto animalesco."

Due giorni prima della sua partenza per Genova mi disse che l'indomani non sarebbe venuto al caffè ma che mi aspettava a casa sua alle nove della sera. Il cerimoniale fu lo stesso dell'altra volta: le immagini degli Dei di tremila anni fa irradiavano gioventù come una stufa irradia calore; la scialba fotografia del giovane dio di cinquanta anni prima sembrava sgomenta nel guardare la propria metamorfosi, canuta e sprofondata in poltrona.

Quando il vino di Cipro fu bevuto il senatore fece

venire la Bettina e le disse che poteva andare a letto. "Accompagnerò io stesso il signor Corbera quando se ne andrà." "Vedi, Corbera, se ti ho fatto venire qui stasera a rischio di scombinare una tua qualche fornicazione a Rivoli, è perché ho bisogno di te. Parto domani e quando alla mia età si va via non si sa mai se non ci si dovrà trattenere lontani per sempre; specialmente quando si va sul mare. Sai, io, in fondo, ti voglio bene: la tua ingenuità mi commuove, le tue scoperte macchinazioni vitali mi divertono; e poi mi sembra di aver capito che tu, come capita ad alcuni siciliani della specie migliore, sei riuscito a compiere la sintesi di sensi e di ragione. Meriti dunque che io non ti lasci a bocca asciutta, senza averti spiegato la ragione di alcune mie stranezze, di alcune frasi che ho detto davanti a te e che certo ti saranno sembrate degne di un matto." Protestai fiaccamente: "Non ho capito molte delle cose dette da Lei; ma ho sempre attribuito l'incomprensione alla inadeguatezza della mia mente, mai a un'aberrazione della sua." "Lascia stare, Corbera, tanto fa lo stesso. Tutti noi vecchi sembriamo pazzi a voi giovani e invece è spesso il contrario. Per spiegarmi, però, dovrò raccontarti la mia avventura che è inconsueta. Essa si è svolta quando ero 'quel signorino lì'" e m'indicava la sua fotografia. "Bisogna risalire al 1887, tempo che ti sembrerà preistorico ma che per me non lo è."

Si mosse dal proprio posto dietro la scrivania, venne a sedersi sul mio stesso divano. "Scusa, sai, ma dopo dovrò parlare a voce bassa. Le parole importanti non possono essere berciate; l''urlo di amore' o di odio s'incontra soltanto nei melodrammi o fra la gente più incolta, che sono poi la stessa cosa. Dunque nel 1887 avevo ventiquattro anni; il mio aspetto era quello della fotografia; avevo di già la laurea in lettere antiche, avevo pubblicato due opuscoletti sui dialetti ionici che avevano fatto un certo rumore nella mia Università; e da un anno mi preparavo al concorso per l'Università di Pavia. Inoltre non avevo mai avvicinato una donna. Di donne a dir vero non ne ho mai avvicinato né prima né dopo quell'anno." Ero sicuro che il mio volto fosse rimasto di una marmorea impassibilità, ma m'ingannavo. "È molto villano quel tuo battere di ciglia, Corbera: ciò che dico è la verità; verità ed anche vanto. Lo so che noi Catanesi passiamo per esser capaci d'ingravidare le nostre balie, e sarà vero. Riguardo a me, no però. Quando si frequentano, notte e giorno, dee e semidee come facevo io in quei tempi, rimane poca voglia di salire le scale dei postriboli di S. Berillio. D'altronde, allora, ero anche trattenuto da scrupoli religiosi. Corbera, dovresti davvero apprendere a controllare le tue ciglia: ti tradiscono continuamente. Scrupoli religiosi, ho detto, sì. Ho anche detto 'allora'. Adesso non ne ho più; ma sotto questo riguardo non mi è servito a nulla.

"Tu, Corberuccio, che probabilmente hai avuto il tuo posto al giornale in seguito a un bigliettino di qualche gerarca, non sai che cosa sia la preparazione a un concorso per una cattedra universitaria di letteratura greca. Per due anni occorre sgobbare sino al limite della demenza. La lingua, per fortuna, la conoscevo di già abbastanza bene, proprio quanto la conosco adesso; e, sai, non fo per dire... Ma il resto: le varianti alessandrine e bizantine dei testi, i brani citati, sempre male, dagli autori latini, le innumerevoli connessioni della letteratura con la mitologia, la storia, la filosofia, le scienze! C'è da impazzire, ripeto. Studiavo quindi come un cane e inoltre davo lezioni ad alcuni bocciati dal liceo per poter pagarmi l'alloggio in città. Si può dire che mi nutrissi soltanto di olive nere e di caffè. In cima a tutto questo sopravvenne la catastrofe di quell'estate del 1887 che fu una di quelle proprio infernali come ogni tanto se ne passano laggiù. L'Etna la notte rivomitava l'ardore del sole immagazzinato durante le quindici ore del giorno; se a mezzogiorno si toccava una ringhiera di balcone si doveva correre al Pronto Soccorso; i selciati di lava sembravano sul punto di ritornare allo stato fluido; e quasi ogni giorno lo scirocco ti sbatteva in faccia le ali di pipistrello vischioso. Stavo per crepare. Un amico mi salvò: m'incontrò mentre erravo stravolto per le strade balbettando versi greci che non capivo più. Il mio aspetto lo impressionò. 'Senti, Rosario, se continui a restare qui impazzisci e addio concorso. Io me ne vo in Svizzera (quel ragazzo aveva soldi) ma ad Augusta posseggo una casupola di tre stanze a venti metri dal mare, molto fuori del paese. Fai fagotto, prendi i tuoi libri e vai a starci per tutta l'estate. Passa a casa fra un'ora e ti darò la chiave. Vedrai, lì è un'altra cosa. Alla stazione domanda dov'è il casino Carobene, lo conoscono tutti. Ma parti davvero, parti stasera.'

"Seguii il consiglio, partii la stessa sera, e l'indomani al risveglio, invece delle tubature dei cessi che di là dal cortile mi salutavano all'alba, mi trovai di fronte a una pura distesa di mare, con in fondo l'Etna non più spietato, avvolto nei vapori del mattino. Il posto era completamente deserto, come mi hai detto che lo è ancora adesso, e di una bellezza unica. La casetta nelle sue stanze malandate conteneva in tutto il sofà sul quale avevo passato la notte, un tavolo e tre sedie; in cucina qualche pentola di coccio e un vecchio lume. Dietro la casa un albero di fico e un pozzo. Un paradiso. Andai in paese, rintracciai il contadino della terricciuola di Carobene, convenni con lui che ogni due o tre giorni mi avrebbe portato del pane, della pasta, qualche verdura e del petrolio. L'olio ce lo avevo, di quello nostro che la povera mamma mi aveva mandato a Catania. Presi in affitto una barchetta leggera che il pescatore mi portò nel pomeriggio insieme a una nassa e a qualche amo. Ero deciso a restare lì almeno due mesi.

"Carobene aveva ragione: era davvero un'altra cosa. Il caldo era violento anche ad Augusta ma, non più riverberato da mura, produceva non più una prostrazione bestiale ma una sorta di sommessa euforia, ed il sole, smessa la grinta sua di carnefice, si accontentava di essere un ridente se pur brutale donatore di energie, ed anche un mago che incastonava diamanti mobili in ogni più lieve increspatura del mare. Lo studio aveva cessato di essere una fatica: al dondolio leggero della barca nella quale restavo lunghe ore, ogni libro sembrava non più un ostacolo da superare ma anzi una chiave che mi aprisse il passaggio ad un mondo del quale avevo già sotto gli occhi uno degli aspetti più maliosi. Spesso mi capitava di scandire ad alta voce versi dei poeti e i nomi di quegli Dei dimenticati, ignorati dai più, sfioravano di nuovo la superficie di quel mare che un tempo, al solo udirli, si sollevava in tumulto o placava in bonaccia.

"Il mio isolamento era assoluto, interrotto soltanto dalle visite del contadino che ogni tre o quattro giorni mi portava le poche provviste. Si fermava solo cinque minuti perché a vedermi tanto esaltato e scapigliato doveva certo ritenermi sull'orlo di una pericolosa pazzia. E, a dir vero, il sole, la solitudine, le notti passate sotto il roteare delle stelle, il silenzio, lo scarso nutrimento, lo studio di argomenti remoti, tessevano attorno a me come una incantazione che mi predisponeva al prodigio.

"Questo venne a compiersi la mattina del cinque

Agosto, alle sei. Mi ero svegliato da poco ed ero subito salito in barca; pochi colpi di remo mi avevano allontanato dai ciottoli della spiaggia e mi ero fermato sotto un roccione la cui ombra mi avrebbe protetto dal sole che già saliva, gonfio di bella furia, e mutava in oro e azzurro il candore del mare aurorale. Declamavo, quando sentii un brusco abbassamento dell'orlo della barca, a destra, dietro di me, come se qualcheduno vi si fosse aggrappato per salire. Mi voltai e la vidi: il volto liscio di una sedicenne emergeva dal mare, due piccole mani stringevano il fasciame. Quell'adolescente sorrideva, una leggera piega scostava le labbra pallide e lasciava intravedere dentini aguzzi e bianchi, come quelli dei cani. Non era però uno di quei sorrisi come se ne vedono fra voialtri, sempre imbastarditi da un'espressione accessoria, di benevolenza o d'ironia, di pietà, crudeltà o quel che sia; esso esprimeva soltanto se stesso, cioè una quasi bestiale gioia di esistere, una quasi divina letizia. Questo sorriso fu il primo dei sortilegi che agisse su di me rivelandomi paradisi di dimenticate serenità. Dai disordinati capelli color di sole l'acqua del mare colava sugli occhi verdi apertissimi, sui lineamenti d'infantile purezza.

"La nostra ombrosa ragione, per quanto predisposta, s'inalbera dinanzi al prodigio e quando ne avverte uno cerca di appoggiarsi al ricordo di fenomeni banali; come chiunque altro volli credere di aver incontrato una bagnante e, muovendomi con precauzione, mi portai all'altezza di lei, mi curvai, le tesi le mani per farla salire. Ma essa, con stupefacente vigoria emerse diritta dall'acqua sino alla cintola, mi cinse il collo con le braccia, mi avvolse in un profumo mai sentito, si lasciò scivolare nella barca: sotto l'inguine, sotto i glutei il suo corpo era quello di un pesce, rivestito di minutissime squame madreperlacee e azzurre, e terminava in una coda biforcuta che batteva lenta il fondo della barca. Era una Sirena.

"Riversa poggiava la testa sulle mani incrociate, mostrava con tranquilla impudicizia i delicati peluzzi sotto le ascelle, i seni divaricati, il ventre perfetto; da lei saliva quel che ho mal chiamato un profumo, un odore magico di mare, di voluttà giovanissima. Eravamo in ombra ma a venti metri da noi la marina si abbandonava al sole e fremeva di piacere. La mia nudità quasi totale nascondeva male la propria emozione.

"Parlava e così fui sommerso, dopo quello del sorriso e dell'odore, dal terzo, maggiore sortilegio, quello della voce. Essa era un po' gutturale, velata, risuonante di armonici innumerevoli; come sfondo alle parole in essa si avvertivano le risacche impigrite dei mari estivi, il fruscio delle ultime spume sulle spiagge, il passaggio dei venti sulle onde lunari. Il canto delle Sirene, Corbera, non esiste: la musica cui non si sfugge è quella sola della loro voce.

"Parlava greco e stentavo molto a capirla. 'Ti sentivo parlare da solo in una lingua simile alla mia; mi piaci, prendimi. Sono Lighea, sono figlia di Calliope. Non credere alle favole inventate su di noi: non uccidiamo nessuno, amiamo soltanto.'

"Curvo su di essa, remavo, fissavo gli occhi ridenti. Giungemmo a riva: presi fra le braccia il corpo aromatico, passammo dallo sfolgorio all'ombra densa; lei m'instillava già nella bocca quella voluttà che sta ai vostri baci terrestri come il vino all'acqua sciapa."

Il senatore narrava a bassa voce la sua avventura; io che in cuor mio avevo sempre contrapposto le mie svariate esperienze femminili a quelle di lui ritenute mediocri e che da ciò avevo tratto uno sciocco senso di diminuita distanza, mi trovavo umiliato: anche in fatto di amori mi vedevo inabissato a distanze invalicabili. Mai un istante ebbi il sospetto che mi si raccontassero delle frottole e chiunque, il più scettico, fosse stato presente, avrebbe avvertito la verità più sicura nel tono del vecchio.

"Così ebbero inizio quelle tre settimane. Non è lecito, non sarebbe d'altronde pietoso verso di te, entrare in particolari. Basti dire che in quegli amplessi godevo insieme della più alta forma di voluttà spirituale e di quella elementare, priva di qualsiasi risonanza sociale, che i nostri pastori solitari provano quando sui monti si uniscono alle loro capre; se il paragone ti ripugna è perché non sei in grado di compiere la trasposizione necessaria dal piano bestiale a quello sovrumano, piani, nel mio caso, sovrapposti.

"Ripensa a quanto Balzac non ha osato esprimere nella *Passion dans le désert*. Dalle membra di lei immortali scaturiva un tale potenziale di vita che le perdite di energia venivano subito compensate, anzi accresciute. In quei giorni, Corbera, ho amato quanto cento dei vostri Don Giovanni messi insieme per tutta la vita. E che amori! al riparo di conventi e di delitti, del rancore dei Commendatori e della trivialità dei Leporello, lontani dalle pretese del cuore, dai falsi sospiri, dalle deliquescenze fittizie che inevitabilmente macchiano i vostri miserevoli baci. Un Leporello, a dir vero, ci disturbò il primo giorno, e fu la sola volta: verso le dieci udii il rumore degli scarponi del contadino sul sentiero che portava al mare. Feci appena a tempo a ricoprire con un lenzuolo il corpo inconsueto di Lighea che egli era già sulla porta: la testa, il collo, le braccia di lei che non erano coperte fecero credere al Leporello che si trattasse di un mio volgare amorazzo e quindi gl'incussero un improvviso rispetto; si fermò ancor meno del solito e andandosene strizzò l'occhio sinistro e col pollice e l'indice della destra, raggomitolati e chiusi, fece l'atto di arricciarsi all'angolo della sua bocca un baffo immaginario; e si arrampicò sul sentiero.

"Ho parlato di venti giorni passati insieme; non vorrei però che tu immaginassi che durante quelle tre settimane essa ed io abbiamo vissuto 'maritalmente,' come si dice, avendo in comune letto, cibo e occupazioni. Le assenze di Lighea erano frequentissime: senza farmene cenno prima si tuffava in mare e scompariva, talvolta per moltissime ore. Quando ritornava, quasi sempre di primo mattino, o m'incontrava in barca o, se ero ancora nella casupola, strisciava sui ciottoli metà fuori e metà dentro l'acqua, sul dorso, facendo forza con le braccia e chiamandomi per esser aiutata a salire la china. 'Sasà' mi chiamava, poiché le avevo detto che questo era il diminutivo del mio nome. In questo atto, impacciata proprio da quella parte del corpo suo che le conferiva scioltezza nel mare, essa presentava l'aspetto compassionevole di un animale ferito, aspetto che il riso dei suoi occhi cancellava subito.

"Essa non mangiava che roba viva: spesso la vedevo emergere dal mare, il torso delicato luccicante al sole, mentre straziava coi denti un pesce argentato che fremeva ancora; il sangue le rigava il mento e dopo qualche morso il merluzzo o l'orata maciullata venivano ributtate dietro le sue spalle e, maculandola di rosso, affondavano nell'acqua mentre essa infantilmente gridava nettandosi i denti con la lingua. Una volta le diedi del vino; dal bicchiere le fu impossibile bere, dovetti versargliene nella palma minuscola ed appena appena verdina, ed essa lo bevette facendo schioccare la lingua come fa un cane mentre negli occhi le si dipingeva la sorpresa per quel sapore ignoto. Disse che era buono, ma, dopo, lo rifiutò sempre. Di quando in quando veniva a riva con le mani piene di ostriche, di cozze, e mentre io faticavo ad aprirne i gusci con un coltello, lei li schiacciava con una pietra e succhiava il mollusco palpitante, insieme a briciole di conchiglia delle quali non si curava.

"Te l'ho già detto, Corbera: era una bestia ma nel medesimo istante era anche una Immortale ed è peccato che parlando non si possa continuamente esprimere questa sintesi come, con assoluta semplicità, essa la esprimeva nel proprio corpo. Non soltanto nell'atto carnale essa manifestava una giocondità e una delicatezza opposte alla tetra foia animale ma il suo parlare era di una immediatezza potente che ho ritrovato soltanto in pochi grandi poeti. Non si è figlia di Calliope per niente: all'oscuro di tutte le colture, ignara di ogni saggezza, sdegnosa di qualsiasi costrizione morale, essa faceva parte, tuttavia, della sorgiva di ogni coltura, di ogni sapienza, di ogni etica e sapeva esprimere questa sua primigenia superiorità in termini di scabra bellezza. 'Sono tutto perché sono soltanto corrente di vita priva di accidenti; sono immortale perché tutte le morti confluiscono in me da quella del merluzzo di dianzi a quella di Zeus, e in me radunate ridiventano vita non più individuale e determinata ma pànica e quindi libera.' Poi diceva: 'Tu sei bello e giovane; dovresti seguirmi adesso nel mare e scamperesti ai dolori, alla vecchiaia; verresti nella mia dimora, sotto gli altissimi monti di acque immote e oscure, dove tutto è silenziosa quiete tanto connaturata che chi la possiede non la avverte neppure. Io ti ho amato e, ricordalo, quando sarai stanco, quando non ne potrai proprio più, non avrai che da sporgerti sul mare e chiamarmi: io sarò sempre lì, perché sono ovunque, e il tuo sogno di sonno sarà realizzato.'

"Mi narrava della sua esistenza sotto il mare, dei

Tritoni barbuti, delle glauche spelonche, ma mi diceva che anche queste erano fatue apparenze e che la verità era ben più in fondo, nel cieco muto palazzo di acque informi, eterne, senza bagliori, senza sussurri.

"Una volta mi disse che sarebbe stata assente a lungo, sino alla sera del giorno seguente. 'Debbo andare lontano, là dove so che troverò un dono per te.'

"Ritornò infatti con uno stupendo ramo di corallo purpureo incrostato di conchiglie e muffe marine. L'ho conservato a lungo in un cassetto ed ogni sera baciavo quei posti sui quali ricordavo che si erano posate le dita della Indifferente cioè della Benefica. Un giorno poi la Maria, quella governante mia che ha preceduto la Bettina, lo ha rubato per darlo a un suo magnaccia. L'ho ritrovato poi da un gioielliere di Ponte Vecchio, sconsacrato, ripulito e lisciato al punto di essere quasi irriconoscibile. Lo ho ricomprato e di notte lo ho buttato in Arno: era passato per troppe mani profane.

"Mi parlava anche dei non pochi amanti umani che essa aveva avuto durante la sua adolescenza millenaria: pescatori e marinai greci, siciliani, arabi, capresi, alcuni naufraghi anche, alla deriva su rottami fradici cui essa era apparsa un attimo nel lampeggiare della burrasca per mutare in piacere il loro ultimo rantolo. 'Tutti hanno seguito il mio invito, sono venuti a ritrovarmi, alcuni subito, altri trascorso ciò che per loro era molto tempo. Uno solo non si è fatto più vedere; era un bel ragazzone con pelle bianchissima e con capelli rossi col quale mi sono unita su di una spiaggia lontana là dove il nostro mare si versa nel grande Oceano; odorava di qualche cosa di più forte di quel vino che mi hai dato l'altro giorno. Credo che non si sia fatto vedere non certo perché felice ma perché quando c'incontrammo era talmente ubriaco da non capir più nulla; gli sarò sembrata una delle solite pescatrici.'

"Quelle settimane di grande estate trascorsero rapide come un solo mattino; quando furono passate mi accorsi che in realtà avevo vissuto dei secoli. Quella ragazzina lasciva, quella belvetta crudele era stata anche Madre saggissima che con la sola presenza aveva sradicato fedi, dissipato metafisiche; con le dita fragili, spesso insanguinate, mi aveva mostrato la via verso i veri eterni riposi, anche verso un ascetismo di vita derivato non dalla rinunzia ma dalla impossibilità di accettare altri piaceri inferiori. Non io certo sarò il secondo a non ubbidire al suo richiamo, non rifiuterò questa specie di Grazia pagana che mi è stata concessa.

"In ragione della sua violenza stessa, quell'estate fu breve. Un po' dopo il venti Agosto si riunirono le prime timide nuvole, piovve qualche goccia isolata tiepida come sangue. Le notti fu tutto un concatenarsi, sul lontano orizzonte, di lenti, muti lampeggiamenti che si deducevano l'uno dall'altro come le cogitazioni di un dio. Al mattino il mare color di tortora come una tortora si doleva per sue arcane irrequietudini ed alla sera s'increspava, senza che si percepisse brezza, in un digradare di grigi-fumo, grigi-acciaio, grigi-perla, soavissimi tutti e più affettuosi dello splendore di prima. Lontanissimi brandelli di nebbia sfioravano le acque: forse sulle coste greche pioveva di già. Anche l'umore di Lighea trascolorava dallo splendore all'affettuosità del grigio. Taceva di più, passava ore distesa su uno scoglio a guardare l'orizzonte non più immobile, si allontanava poco. 'Voglio restare ancora con te; se adesso andassi al largo i miei compagni del mare mi tratterrebbero. Li senti? Mi chiamano.' Talvolta mi sembrava davvero di udire una nota differente, più bassa fra lo squittio acuto dei gabbiani, intravedere scapigliamenti fulminei fra scoglio e scoglio. 'Suonano le loro conche, chiamano Lighea per le feste della bufera.'

"Questa ci assalì all'alba del giorno ventisei. Dallo scoglio vedemmo l'avvicinarsi del vento che sconvolgeva le acque lontane, vicino a noi i flutti plumbei si rigonfiavano vasti e pigri. Presto la raffica ci raggiunse, fischiò nelle orecchie, piegò i rosmarini disseccati. Il mare al di sotto di noi si ruppe, la prima ondata avanzò coperta di biancore. 'Addio, Sasà. Non dimenticherai.' Il cavallone si spezzò sullo scoglio, la Sirena si buttò nello zampillare iridato; non la vidi ricadere; sembrò che si disfacesse nella spuma."

Il senatore partì l'indomani mattina; io andai alla stazione per salutarlo. Era scontroso e tagliente come sempre, ma quando il treno incominciò a muoversi, dal finestrino le sue dita sfiorarono la mia testa.

Il giorno dopo, all'alba, si telefonò da Genova al giornale: durante la notte il senatore La Ciura era caduto in mare dalla coperta del *Rex* che navigava verso Napoli, e benché delle scialuppe fossero state immediatamente messe in mare, il corpo non era stato ritrovato.

Una settimana più tardi venne aperto il testamento di lui: alla Bettina andavano i soldi in banca e il mobilio; la biblioteca veniva ereditata dall'Università di Catania; in un codicillo di recente data io ero nominato quale legatario del cratere greco con le figure delle Sirene e della grande fotografia della "Corè" dell'Acropoli.

I due oggetti furono inviati da me alla mia casa di Palermo. Poi venne la guerra e mentre io me ne stavo in Marmarica con mezzo litro di acqua al giorno i "Liberators" distrussero la mia casa: quando ritornai la fotografia era stata tagliata a striscioline che erano servite come torce ai saccheggiatori notturni; il cratere era stato fatto a pezzi; nel frammento più grosso si vedono i piedi di Ulisse legato all'albero della nave. Lo conservo ancora. I libri furono depositati nel sottosuolo dell'Università ma poiché mancano i fondi per le scaffalature essi vanno imputridendo lentamente.

I GATTINI CIECHI

La pianta delle proprietà Ibba, disegnata alla scala di 1 al 5000, occupava una striscia di carta oleata lunga due metri e alta ottanta centimetri. Non che tutto quanto si vedeva sulla mappa appartenesse alla famiglia: vi era anzitutto, a Sud, una listarella di mare che, su quella costa orlata di tonnare, non apparteneva a nessuno; a Nord vi erano montagne inospiti nelle quali gl'Ibba non avevano mai voluto metter mano; vi erano soprattutto numerose e non piccole chiazze bianche attorno alla massa giallo-limone che designava la proprietà di famiglia: terreni mai potuti acquistare perché i proprietari erano ricchi; terreni offerti ma rifiutati perché di qualità troppo scadente, terreni desiderati ma nelle mani di gente sotto cottura, non ancora giunta al grado di masticabilità opportuno. Vi erano, anche, pochissimi terreni che erano stati gialli e che erano ridiventati bianchi perché venduti, per acquistarne altri migliori durante certe male annate nelle quali i contadini erano scarsi. Malgrado queste macchie (tutte ai margini), il complesso giallo era imponente: da un nucleo ovoidale interno, attorno a Gibilmonte, una larga branca si stendeva verso levante, andava restringendosi, e poi, di nuovo ampliata, spingeva due tentacoli, uno verso il mare raggiunto per un piccolo tratto, l'altro verso Nord dove si fermava alle falde dei monti dirupati e sterili. Verso occidente l'espansione era stata ancor maggiore: erano, questi, terreni ex-ecclesiastici, nei quali l'avanzata era stata rapida come uno scivolone, quella di un coltello nella sugna: i paesetti di S. Giacinto e S. Narciso erano stati raggiunti e superati dalle colonne leggere degli atti di esproprio, una linea difensiva nel fiume Favarotta aveva resistito a lungo ma adesso era crollata, e oggi, il 14 Settembre 1901, una testa di ponte era stata stabilita al di là del fiume mediante l'acquisto di Píspisa, piccolo ma succoso feudotto sulla riva destra della fiumara.

La proprietà acquistata non era ancora stata colorata di giallo, nella pianta, ma di già l'inchiostro di China e il pennelluzzo aspettavano nello scrittoio l'intervento di Calcedonio, che era il solo, in casa, che sapesse adoperarli a dovere. Don Batassano Ibba stesso, il capo della famiglia e quasi-barone, ci si era provato dieci anni fa quando era stato espropriato Scíddico, ma il risultato era stato gramo: una marea giallina si era sparsa su tutta la mappa e si era dovuto spendere un sacco di soldi per farne rifare un'altra. La bottiglia d'inchiostro, però, era ancora quella. Questa volta quindi don Batassano non si arrischiava a metter mano, e si accontentava di guardare il posto da colorare con quei suoi occhi di contadino sfrontato, e pensava che anche su una carta dell'intera Sicilia, ormai, si sarebbero potuto scorgere le terre Ibba, grandi come una pulce nella immensità dell'isola, si capisce, eppur nettamente visibili.

Don Batassano era soddisfatto ma anche irritato, due stati d'animo che in lui coesistevano spesso. Quel Ferrara, quel procuratore del principe di Salina giunto in mattinata da Palermo per stipulare l'atto di vendita, era stato cavilloso sino al momento della firma, che dico sino alla firma! anche dopo!, ed aveva voluto il prezzo di ottanta bigliettoni rosei del Banco di Sicilia invece che nella fede di credito che già era stata preparata; e lui, don Batassano, era stato costretto a salir le scale e ad estrarre il malloppo dal cassetto segretissimo della propria scrivania, operazione piena di ansie perché a quell'ora Mariannina e Totò era possibile fossero in giro. Vero è che il procuratore si era lasciato infinocchiare riguardo a quel canone di ottanta lire all'anno da pagare al Fondo Culto, per il quale aveva accettato di rilasciare mille e seicento lire di valore capitalizzato, mentre don Batassano (ed anche il notaio) sapevano che esso era già stato reluito nove anni fa da un altro procuratore dei Salina. Questo però non importava: qualsiasi opposizione, anche minima, alla propria volontà, specialmente in ciò che riguardasse denaro, lo esasperava: "Sono costretti a vendere, con l'acqua alla gola, e ancora salta loro il ticchio di voler distinguere fra biglietti e fedi di credito!"

Erano soltanto le quattro e ci volevano cinque ore per il pranzo. Don Batassano aprì la finestra che dava sull'esiguo cortile. L'afa di settembre cotta, ricotta e macerata, s'insinuò nella stanza in penombra. Giù, un vecchio baffuto stendeva del vischio su alcune bacchette di canna: preparava i sollazzi per i padroncini. "Giacomino, sella i cavalli, il mio e il tuo. Sto scendendo." Desiderava andare a vedere i danni dell'abbeveratoio di Scíddico: alcuni monellacci avevano frantumato uno dei conci del bacino, così gli avevano detto stamani; la falla era già stata tappata alla men peggio con pietrisco e con quel fango misto a paglia che non manca mai vicino ai bivieri; ma Tano, l'affittuario dello Scìddico, aveva chiesto che si facesse presto una riparazione sul serio. Sempre seccature, sempre nuove spese: e se non andava di persona a vedere, l'operaio gli avrebbe presentato un conto esorbitante. Si assicurò che la fondina con la pesante Smith-Wesson gli pendesse dalla cintura: egli era tanto abituato ad averla sempre con sé che non la avvertiva più. Scese in cortile per la scaletta di lavagna. Il campiere finiva di sellare i cavalli; salì sul suo servendosi di tre scalini in muratura addossati a bella posta a una parete, prese il frustino che un ragazzo gli porgeva, aspettò che Giacomino (senza aiuto degli scalini padronali) si mettesse in sella. Il figlio del campiere spalancò il portone corazzato, la luce del pomeriggio estivo allagò il cortile e don Baldassare Ibba uscì con la guardia del corpo nel Corso Maggiore di Gibilmonte.

I due andavano quasi a fianco, il cavallo di Giacomino di mezza testa soltanto più indietro di quello del padrone: il "due botte" del campiere esibiva, a destra e a sinistra dell'arcione, il calcio ferrato, le canne brunite; gli zoccoli delle bestie scalpicciavano fuori tempo sui ciottoli delle viuzze ripide. Le donne filavano davanti alle porte, e non salutavano. "La vita!" gridava ogni tanto Giacomino quando un qualche bambinetto, integralmente nudo, stava per rotolare fra le zampe dei cavalli; l'Arciprete, in bilico su una sedia e con la nuca poggiata alla parete della chiesa, fece finta di dormire: tanto il patronato non apparteneva a Ibba il riccone, ma ai poveri ed assenti Santapau. Solo, il brigadiere dei carabinieri, in maniche di camicia sul balcone della caserma, si sporse in un saluto. Uscirono dal paese, risalirono la trazzera che porta al biviere. L'acqua perduta durante la notte era molta e tutt'intorno era ristagnata in una larga pozzanghera: mista ad argilla, a detriti di paglia, a sterco, a orina di mucche, esalava un puzzo ammoniacale pungente. Ma la riparazione di fortuna era stata efficace; dalle congiunture delle pietre l'acqua non scorreva più, trasudava soltanto, e il sottile flusso che scaturiva a singhiozzo dal tubo arrugginito bastava a superare la perdita. Il nessun costo di quel che si era fatto soddisfece don Batassano, gli fece trascurare la provvisorietà della riparazione. "Cosa ci stava a raccontare Tano! Il biviere è in ottimo stato! Non ha bisogno di niente. Di' piuttosto a quel minchione che, se è vero che è un uomo, stia attento a non far danneggiare la roba mia dal primo moccioso che passa. Si metta in cerca dei padri e li faccia parlare con te se lui stesso non ce la fa."

Sulla via del ritorno un coniglio spaurito traversò la stradella, il cavallo di don Batassano si adombrò, sparò un paio di calci, e il magnate, che aveva sì un bel sellino inglese ma adoperava corde rivoltate invece di staffe, finì per terra. Non si fece nulla e Giacomino, esperto della prassi, prese la giumenta per la briglia e la tenne ferma; don Batassano da terra frustava acerbamente il muso, le orecchie, i fianchi dell'animale che era percorso da un tremito continuo e si copriva di spuma. Un calcio nella pancia concluse l'operazione pedagogica, don Batassano risalì e i due tornarono a casa che cominciava appena ad annottare.

Il ragioniere Ferrara, intanto, non sapendo che il padrone di casa era uscito, era andato nello studio e, trovatolo vuoto, si era seduto un momento per aspettare. Nella stanza vi era una rastrelliera con due fucili, una scansia con poche cartelle ("Tasse", "Titoli di proprietà", "Cautele", "Mutui", dicevano le etichette incollate sul cartone marrone); sullo scrittoio l'atto di compra-vendita firmato due ore fa; dietro, sul muro, la mappa.

Ferrara si alzò per guardarla da vicino: dalle sue conoscenze professionali, dalle innumerevoli indiscrezioni che aveva ascoltato, egli conosceva bene come si era formato quell'enorme patrimonio terriero: era stata una epopea di astuzia, di mancanza di scrupoli, di sfide alle leggi, d'inesorabilità, di fortuna anche, e di ardimento. Ferrara pensò quale interesse avrebbe presentato una pianta diversamente tinteggiata nella quale, come nei testi scolastici per l'espansione italiana di casa Savoia, fossero stati colorati in tinte diverse i successivi acquisti. Qui, a Gibilmonte, era l'embrione: sei tumuli, mezzo ettaro di vigneto e una casetta di tre stanze, tutto quanto aveva ereditato il padre di don Batassano, Gaspare, analfabeta di genio. Giovanissimo ancora aveva sedotto la figlia sordomuta di un "borghese", di un piccolissimo proprietario appena appena meno povero di lui, e con la dote ottenuta mediante le nozze estorte aveva raddoppiato il proprio avere. La moglie minorata era entrata pienamente nel gioco del marito: una economia sordida aveva permesso alla coppia di accumulare un gruzzolo minuscolo ma prezioso in un paese come la Sicilia nel quale l'economia, a quei tempi, era, come nelle città-stato antiche, esclusivamente fondata sull'usura.

Prestiti accortissimi erano stati concessi, quei prestiti di particolare fisionomia che si concedono a persone che posseggono un patrimonio ma non redditi sufficienti a sodisfare gli interessi. I mugolii di Marta, la moglie di Gaspare, quando si aggirava al tramonto in paese per esigere i propri crediti settimanali, erano divenuti proverbiali. "Quando Marta va grugnendo, le casuzze van cadendo." In dieci anni di visite gesticolanti, in dieci anni di sottrazioni di frumento ai marchesi Santapau dei quali Gaspare era mezzadro, in dieci anni di cauti spostamenti di confini, in dieci anni di sodisfatta fame, il patrimonio della coppia si era moltiplicato per cinque: lui aveva solo ventotto anni, l'attuale don Batassano sette. Vi era stato un periodo burrascoso quando l'autorità giudiziaria borbonica aveva avuto il capriccio d'indagare circa uno dei soliti cadaveri trovati in campagna; Gaspare aveva dovuto tenersi lontano da Gibilmonte e la moglie faceva capire che egli si trovava da un cugino ad Adernò per impratichirsi della coltura dei gelsi; in realtà non vi era stata sera nella quale, dai monti vicini, l'affettuoso Gaspare non avesse visto fumare la cucina della sua felice casetta. Poi vennero i Mille, tutto andò a soqquadro, gli incartamenti indiscreti scomparvero dalle cancellerie, e Gaspare Ibba ritornò ufficialmente a casa sua.

Tutto era meglio di prima. Fu allora che Gaspare concepì una manovra che era pazzesca come tutto ciò che è geniale: come Napoleone ad Austerlitz osò sguarnire il proprio centro per intrappolare nelle fortissime ali gli austro-russo babbei, così Gaspare ipotecò sino all'osso tutte le proprie combattutissime terricciuole, e con le poche migliaia di lire ricavate dall'operazione fece un prestito senza interessi al marchese Santapau che le proprie elargizioni alla causa borbonica avevano posto nei guai. Il risultato fu questo: dopo due anni i Santapau avevano perduto il feudo "Balate" che, del resto, non avevano mai visto e che, dal nome, credevano infecondo, le ipoteche sui beni Ibba erano tolte, Gaspare era diventato "don Gaspare" ed a casa sua si mangiava castrato il sabato e la domenica. Raggiunto il traguardo delle prime centomila lire tutto si era svolto con la precisione di un congegno meccanico: i beni ecclesiastici, acquistati pagando le prime due rate del loro miserevole estimo, si erano avuti per un decimo del loro valore; i caseggiati, le sorgive in essi contenute, i diritti di passaggio che essi possedevano, resero quanto mai facile l'acquisto dei beni laici circostanti, svalutati; i forti redditi accumulati permisero la compra o l'esproprio di altri più lontani terreni.

Quando don Gaspare morì ancor giovane la sua proprietà era più che ragguardevole però; come i territori prussiani della metà del settecento, consisteva in grossi isolotti separati da proprietà altrui. Al figlio Baldassare toccò, come a Federico Secondo, il compito e la gloria di unificare tutto in un solo blocco, prima, e di spostare i limiti del blocco stesso verso più lontane contrade. Vigneti, uliveti, mandorleti, pascoli e canoni enfiteutici, soprattutto però terreni seminativi, venivano annessi e digeriti, i loro redditi affluivano nel dimesso studio di Gibilmonte dove rimanevano poco e dal quale uscivano presto, quasi intatti, per trasformarsi di nuovo in terreni. Un vento d'ininterrotta fortuna gonfiava le vele del galeone Ibba: quel nome cominciò a essere pronunziato con reverenza in tutto il bisognoso triangolo dell'isola. Don Batassano intanto si era sposato, a trent'anni, e non con una minorata come era stata la sua venerata genitrice, ma con una robusta diciottenne, Laura, la figlia del notaio di Gibilmonte: essa portava in dote la propria salute, non pochi contanti, la preziosa esperienza curialesca del padre, e una sottomissione che era assoluta, sodisfatti che fossero stati i propri non indifferenti bisogni sessuali. Otto figli erano la prova vivente della raggiunta sottomissione: una felicità aspra e priva di luce regnava in casa Ibba.

Il ragioniere Ferrara era individuo di teneri sentimenti, varietà umana rarissima in Sicilia. Già suo padre era stato impiegato nell'amministrazione Salina ai tempi burrascosi del vecchio principe Fabrizio; e lui stesso, allevato nell'atmosfera ovattata di quella casata, si era avvezzo a desiderare una vita mediocre magari, ma calma; e il proprio pezzetto di formaggio principesco da rosicchiare gli era sufficiente. Quei due metri quadri scarsi di carta oleata gli evocavano asprezze e pervicacia di lotte dalle quali la sua anima di roditore più che di carnivoro ripugnava. Aveva l'impressione di rileggere le dispense di quella *Storia dei Borboni di Napoli* di La Cecilia che suo padre, acceso liberale, gli comprava ogni sabato; qui a Gibilmonte, per giunta, mancavano le presunte orgie di Caserta descritte nel libello: qui tutto era scabro, positivo, puritanescamente cattivo. Si spaurì e lasciò la stanza.

La sera, a pranzo, tutta la famiglia era presente, meno il primogenito, Gaspare, che era a Palermo sotto il pretesto di preparare gli esami di riparazione per la licenza liceale (aveva di già vent'anni). Il pasto era servito con rustica semplicità: tutte le posate, del resto pesanti e ricche, erano poste nel centro della tavola e ciascuno pescava nel mucchio secondo i propri bisogni; il servo Totò e la serva Mariannina si ostinavano a servire la gente dalla destra. La signora Laura era l'immagine della salute giunta al proprio supremo fiorire, cioè alla pinguedine somma: il mento di bella forma, il naso gentile, gli occhi esperti di coniugali voluttà scomparivano in un rigoglio di lardo ancor fresco, sodo e appetitoso; le forme spropositate del corpo erano rivestite di una seta nera, segnacolo di sempre rinnovati lutti. I figli Melchiorre, Pietro e Ignazio, le figlie Marta, Franceschina, Assunta e Paolina, si alternavano in curiose rassomiglianze, in strane misture dei tratti rapaci del padre e di quelli misericordiosi della madre. In tutti, in tutte, la ricerca della toletta era nulla: "cretonnes" stampate (grigio su bianco) le femmine, vestiti da marinaio per i maschietti, anche per il maggiore fra i presenti, Melchiorre, cui i nascenti baffetti di diciassettenne conferivano uno strano aspetto di effettivo membro dei Reali Equipaggi. La conversazione, o per meglio dire il dialogo fra don Batassano e Ferrara, si aggirò esclusivamente intorno a due argomenti: il prezzo dei terreni nelle vicinanze di Palermo in confronto a quelli nelle vicinanze di Gibilmonte, e i fatterelli della società aristocratica palermitana. Don Batassano considerava tutti questi nobili come dei "morti di fame", anche quelli che, dopo tutto, possedevano non fosse che in collezioni di antichità, a parte i redditi, un patrimonio eguale al suo. Sempre rinchiuso nel suo paese, con rare gite al capoluogo e rarissimi viaggi a Palermo per "seguire" delle cause in Cassazione, di questi nobili non ne conosceva personalmente neppure uno, e di loro si era creata una immagine astratta e monocorde, come ciò che il pubblico immagina di Arlecchino o del capitan Fracassa. Il principe A. era spendaccione, il principe B. donnaiolo, il duca C. violento, il barone D. giocatore, don Giuseppe E. spadaccino, il marchese F. "estetico" (voleva dire "esteta", eufemismo a sua volta per indicare cose peggiori); e così via, di seguito: ciascuno era una figurina spregevole ritagliata in cartone. Don Batassano possedeva in queste sue opinioni una formidabile propensione all'errore e si può dire non vi fosse epiteto che non fosse erroneamente accoppiato al nome, e certamente nessun difetto che non venisse favolosamente esagerato, le reali mende di queste persone rimanendogli intanto ignote: si vedeva che la sua mente lavorava su astrazioni e che essa si compiaceva di far risaltare la purezza degli Ibba sullo sfondo corrotto della vecchia nobiltà.

Ferrara conosceva le cose un po' meglio, ma anche lui in modo lacunoso, e quindi, quando si provò a contradire le assertazioni più fantastiche, rimase presto a corto di argomenti; d'altronde le sue parole suscitavano in don Batassano un tale sdegno moralista che presto tacque; del resto si era alla fine del pranzo.

Questo era stato, a giudizio di Ferrara, eccellente; donna Laura non si abbandonava a voli pindarici in materia di cucina: essa faceva servire la cucina siciliana elevata al cubo in quanto a numero di portate e ad abbondanza di condimenti, quindi resa micidiale. I maccheroni nuotavano letteralmente nell'olio del loro sugo ed erano sepolti sotto valanghe di caciocavallo, le carni erano farcite di salami incendiari, le "zuppe in fretta" contenevano il triplo dell'alchermes, dello zucchero e della "zuccata"[1] prescritti; ma tutto ciò, si è già detto, sembrava squisito a Ferrara e l'apice della vera buona cucina; le sue rare colazioni a casa Salina lo avevano sempre deluso per la scipitezza dei cibi. Il giorno seguente, però, ritornato a Palermo, dopo aver consegnato al principe Fabrizietto le settantottomila e duecento lire, descrisse il pasto che gli era stato offerto, e poiché conosceva la predilezione del principe per i "coulis de volaille" del Pré Catelan e le "timbales d'écrevisses" di Prunier, mostrò come orrori ciò che gli erano sembrati pregi; e così fece cosa assai grata a Salina il quale, poi, durante il "pokerino" al Circolo, raccontò ogni cosa agli amici sempre avidi di notizie sui leggendari Ibba; e tutti risero sino al momento in cui l'impassibile Peppino San Carlo annunziò un full di regine.

Come si è già detto, la curiosità circa la famiglia Ibba era acuta negli ambienti dei nobili palermitani. La curiosità è, poi, la madre delle favole, e da essa infatti nascevano in quegli anni cento fantasie intorno a questa fortuna subitanea. Esse testimoniavano non

[1] Zucca candita, ingrediente tipico della pasticceria siciliana. [*N.d.R.*]

soltanto della spumosa infantile immaginazione delle classi superiori, ma anche di un inconscio disagio nel vedere che si poteva, al principio del secolo ventesimo, erigere una grande fortuna esclusivamente terriera, forma di ricchezza questa che, per amara esperienza di ciascuno di quei signori, era materiale da demolizione e non adatto alla costruzione di ricchi edifici. Questi stessi proprietari sentivano che questa moderna reincarnazione Ibba degli sterminati possessi granari dei Chiaromonte e dei Ventimiglia dei secoli scorsi era irrazionale e, per loro stessi, pericolosa; quindi le erano sordamente avversi; ciò non soltanto perché quest'edificio imponente era in gran parte eretto con materiale che era già appartenuto ad essi stessi, ma perché lo avvertivano come manifestazione dell'anacronismo permanente che è il freno sulle ruote del carro siciliano, anacronismo che moltissimi avvertono ma al quale nessuno, poi, si sottrae o fa a meno di collaborare.

Occorre ripetere che questo disagio rimaneva latente nell'inconscio collettivo: affiorava solo sotto il travestimento di frottole e barzellette, come si conviene a una classe che fa scarso consumo di idee generali. Prima e più elementare forma delle frottole, l'esagerazione delle cifre che da noi sono sempre elastiche. A dispetto della facilità dei controlli la fortuna dei Baldassare Ibba era valutata in parecchie diecine di dozzine di milioni; un ardimentoso osò parlare una volta di "quasi un miliardo", ma fu, a dir vero, zittito, perché questa cifra tanto banale oggi era nel 1901 di così raro impiego che la quasi totalità della gente ne ignorava il vero significato, e in quel tempo di lira-oro, dire un miliardo di lire era lo stesso che dir niente. Sulle origini di questa fortuna venivano intrecciate fantasie analoghe: sulla umiltà dei natali di don Batassano era difficile esagerare (il vecchio Corrado Finale, la cui madre era una Santapau, aveva insinuato, senza dirlo chiaro e tondo, che egli fosse figlio di un suo cognato che aveva per qualche tempo risieduto a Gibilmonte, ma la frottola ebbe poco credito perché si sapeva che era nelle abitudini di Finale attribuire a se stesso od ai suoi parenti la paternità clandestina di qualsiasi notorietà si parlasse, generale vittorioso o festeggiata primadonna); il modesto cadavere però che aveva causato noie a don Gaspare si moltiplicava per dieci, per cento, e non vi era soppressione di individui che fosse avvenuta in Sicilia da trent'anni (e ne erano avvenute parecchie) che non venisse addebitata agli Ibba, i quali erano, dopo tutto, penalmente più che a posto. Questa, benché possa forse sorprendere, era la parte più benevola della leggenda perché il fatto di violenza, quando impunito, era, allora, motivo di estimazione, l'aureola dei Santi siciliani essendo sanguigna.

A queste invenzioni di diretta semina si aggiungevano quelle di trapianto: veniva rispolverata, per esempio, la storiella narrata già cento anni prima a proposito di Testasecca che, fatto scavare un canaletto, riunite a monte di esso le centinaia di mucche e le migliaia di pecore loro, e fattele mungere allo stesso istante, avrebbe dato a re Ferdinando IV lo spettacolo di un ruscello di latte tiepido e spumoso che scorreva dinanzi a lui. Questa favola non priva di una pastorale poeticità, che avrebbe dovuto denunciarne l'origine teocritea, veniva adesso accollata a don Batassano con la semplice sostituzione di Umberto I a re Ferdinando; e benché fosse facilissimo provare che mai questo sovrano avesse posto piede sui beni Ibba essa sopravviveva, irrefragabile.

Fu per queste ragioni di rancore misto a timore che, quando il "pokerino" ebbe termine, la conversazione cadde di nuovo sull'argomento Ibba. La diecina di soci presenti si era installata sulla terrazza del Circolo, che sovrasta un placido cortile ed era ombreggiata da un alto albero che faceva piovere petali di lillà su quei signori per lo più anziani. Servi in rosso e bleu portavano in giro gelati e bibite. Dal fondo di una poltrona di vimini giungeva sempre collerica la voce di Santa Giulia. "Ma insomma si può sapere quante terre ha questo benedetto Ibba?"

"Si può sapere, si sa. Quattordici mila trecento venticinque ettari," rispose freddo San Carlo.

"Solamente? Io credevo di più."

"Quattordicimila un corno! Secondo persone che sono state sul posto non possono essere meno di ventimila ettari, sicuro come la Morte; e tutti semineri di prima scelta."

Il generale Làscari, che sembrava immerso nella lettura della *Tribuna*, abbassò bruscamente il giornale e mostrò la faccia sua di fegatoso, ricamata di rughe gialle nelle quali la cornea bianchissima risaltava dura e un po' sinistra, come gli occhi di certi bronzi greci. "Sono ventotto mila, né uno di più né uno di meno; me lo ha detto mio nipote che è cugino della moglie del suo Prefetto. È così, e basta; ed è inutile discuterne più a lungo."

Pippo Follonica, un inviato romano di passaggio, si mise a ridere: "Ma insomma se vi interessa tanto perché non mandate qualcheduno al Catasto; è facile sapere la verità, questa verità per lo meno."

La razionalità della proposta fu accolta con freddezza. Follonica non capiva la natura passionale, non statistica, della discussione: quei signori palleggiavano fra loro invidie, rancori, timori, cose tutte che i certificati catastali non bastavano a sedare.

Il generale si inviperì: "Quando una cosa la dico

io non occorrono catasti né controcatasti." Poi la cortesia verso l'ospite lo raddolcì. "Caro Principe, Lei non sa che cosa è il catasto da noi! Le volture non sono mai fatte e vi figurano come proprietari ancora quelli che hanno venduto e che adesso sono all'Ospizio di Mendicità."

Di fronte a una smentita tanto circostanziata, Follonica cambiò tattica. "Ammettiamo che l'ettaraggio rimanga ignoto; ma il valore del patrimonio di questo buzzurro che vi appassiona si saprà!"

"Questo si sa benissimo: otto milioni netti netti."

"Un corno!" Era questo l'immancabile inizio di ogni frase di Santa Giulia. "Un corno! Non un centesimo meno di dodici!"

"Ma in che mondo vivete! Non siete informati di niente! Sono venticinque milioni soltanto in terreni. In più vi sono i canoni, i capitali prestati e non ancora trasformati in proprietà, il valore del bestiame. Almeno altri quindici milioni." Il generale aveva posato il giornale, si agitava. La perentorietà dei suoi modi aveva da anni irritato tutto il Circolo, ciascun socio del quale desiderava essere il solo a fare affermazioni incontrovertibili; così che contro l'opinione di lui si formò immediatamente una coalizione di antipatie risvegliate e, senza riferimento alla verità maggiore o minore dei fatti, la stima del patrimonio Ibba calò a precipizio. "Queste sono poesie; denari e santità metà della metà. Se Baldassare Ibba ha dieci milioni, tutto compreso, è molto." La cifra era stata distillata dal nulla, cioè, per necessità polemica; ma quando fu detta, poiché rispondeva al desiderio d'ognuno, li calmò tutti, eccetto il generale che gesticolava dal fondo della sua poltrona, impotente, contro i suoi nove avversari.

Un cameriere entrò con una lunga asta di legno

che portava in cima un batuffolo con spirito acceso. Alla mite luce del tramonto si sostituì quella rigida del lampadario a gas. Il romano si divertiva assai: era la prima volta che veniva in Sicilia, e nei suoi cinque giorni di permanenza a Palermo era stato ricevuto in parecchie case ed aveva cominciato a ricredersi sul presunto provincialismo dei palermitani: i pranzi erano stati ben serviti, i saloni belli, le signore aggraziate. Ma adesso questa discussione appassionata sulla fortuna di un individuo che nessuno dei contendenti conosceva né voleva conoscere, queste esagerazioni patenti, questo gesticolare convulso per niente, gli facevano di nuovo far macchina indietro, gli ricordavano un po' troppo le conversazioni che sentiva a Fondi o a Palestrina, quando doveva andarvi per badare alle sue terre, e magari la farmacia Bésuquet, della quale dal tempo della sua lettura del *Tartarin* conservava un ricordo sorridente; e faceva provvista di storielle da raccontare agli amici quando fra una settimana sarebbe ritornato a Roma. Ma aveva torto: era troppo uomo di mondo per essere avvezzo a tuffare l'indagine sua al di sotto delle più evidenti apparenze, e ciò che gli appariva come umoristica esibizione di provincialismo era tutt'altro che comico: erano i tragici soprassalti di una classe che vedeva sfuggire il proprio primato latifondistico, cioè la propria ragion d'essere e la propria continuità sociale, e che cercava nelle artate esagerazioni, e nelle artificiali diminuzioni, sfoghi alla sua ira, sollievo alla sua paura.

Dato che era impossibile raggiungere la verità, la conversazione deviò: rimase sempre diretta a indagare i fatti privati di Baldassare Ibba, ma si mise a considerare quelli personali di lui.

"Vive come un monaco; si alza alle quattro del mattino; va in piazza ad ingaggiare i braccianti, si occupa di amministrazione tutto il giorno, mangia solo pasta e verdura all'olio, e la sera alle otto è a letto."

Salina protestò: "Monaco con moglie ed otto figli, intendiamoci. Un mio impiegato ha passato ventiquattr'ore in casa sua: la casa è brutta, ma grande e comoda, decente insomma; e la moglie deve essere stata bella; i ragazzi sono ben vestiti, anzi uno è qui a Palermo per gli studi; ed alla sua tavola si mangia in modo pesante ma abbondante, come vi ho raccontato."

Il generale teneva duro: "Tu, Salina, credi a tutto quanto ti raccontano; o, per meglio dire, hanno voluto gettar del fumo negli occhi del tuo impiegato che dev'essere un fesso. Pane, cacio e lucerna a olio, questa è la vita giornaliera, la vera vita di Ibba; quando qualcheduno viene da Palermo si capisce che vuol fare lo sfarzo per abbagliare noi come s'illude di fare."

Santa Giulia, sotto l'impeto delle notizie che voleva comunicare, si dibatteva nella sua poltrona: i piedi ben calzati battevano il pavimento, le mani gli tremavano, e la cenere della sigaretta gli nevicava sul vestito: "Signori, signori, voi non sapete un corno; vi sbagliate completamente. Io solo so come stanno le cose: la moglie di un mio campiere è di Torrebella, a due passi da Gibilmonte; ogni tanto va a vedere la sorella che è maritata lì e che le ha raccontato tutto. Più sicuro di così non si può, mi pare." Negli occhi di ciascuno cercò una conferma alla propria sicurezza, e poiché tutti si divertivano la trovò facilmente. Benché non vi fosse nessun orecchio pudico da rispettare, abbassò la voce: senza questo accorgimento da melodramma l'effetto delle rivelazioni non sarebbe stato lo stesso.

"A quattro chilometri da Gibilmonte, don Baldassare s'è fatto costruire una casetta: tutto quello che si può immaginare di più lussuoso, con mobili di Salci e tutto il resto." Ricordi di letture di Catulle Mendès, nostalgiche rimembranze di case d'appuntamento parigine, brame irrealizzate benché a lungo allattate, apparirono alla sua fantasia. "Ha fatto venire da Parigi il grande pittore Rochegrosse che gli ha affrescato tutte le stanze: tre mesi è rimasto a Gibilmonte ed ha voluto centomila lire ogni mese." (Rochegrosse era stato infatti in Sicilia due anni fa: vi era rimasto otto giorni con la moglie e tre figli, ed era ripartito dopo aver quietamente visitato la Cappella Palatina, Segesta, e le Latomie di Siracusa.) "Un patrimonio speso! Ma che affreschi ha fatto! Roba da far risuscitare un morto! Donne nude, tutte nude, che ballano, bevono, si accoppiano con uomini e fra di loro, in tutte le posizioni, in tutti i modi possibili. Capolavori! Un'enciclopedia, vi dico, un'enciclopedia di tutti i piaceri! Del resto lasciate fare un parigino con centomila lire al mese. Là Ibba riceve donne a diecine: italiane, francesi, tedesche, spagnole. La Oterò ci è stata anche lei, lo so di sicuro. Là un Batassano si è fatto il suo Parco dei Daini, come Luigi Decimosesto."

Questa volta Santa Giulia aveva fatto colpo davvero: tutti stavano ad ascoltarlo a bocca aperta. Non che ci credessero, ma trovavano la fantasia altamente poetica e ciascuno desiderava avere i milioni di Ibba perché sul suo conto si potessero inventare simili sontuose frottole. Il primo a riscuotersi dal sortilegio poetico fu il generale. "E tu come lo sai? Ci sei stato nella casetta? Come odalisca o come eunuco?" Risero, rise anche Santa Giulia. "Ve l'ho già detto: la moglie di Antonio, il mio campiere, ha visto quelle pitture." "Bravo! Allora hai il campiere cornuto!" "Cornuto un corno! è andata lì a portare delle lenzuola che aveva lavate. Non l'hanno fatta entrare, ma una finestra era aperta ed ha visto tutto."

Il castello di bugie era evidentemente fragilissimo;

ma era tanto bello, tutto fatto di cosce femminili, di oscenità senza nome, di grandi pittori e di bigliettoni da centomila lire, che nessuno ebbe voglia di soffiarci su per farlo cadere.

Salina tirò fuori l'orologio: "Mamma mia! Sono già le otto! Debbo andare a casa a vestirmi: stasera c'è la *Traviata* al Politeama, e quell''Amami, Alfredo!' della Bellincioni non è roba da perdersi. Ci vediamo in barcaccia."

APPENDICE

LA SIRENA

(frammento di una prima versione)

...con un lenzuolo il corpo di Lighea quando egli apparì sulla porta. Del vero significato dell'avvenuto non comprese, va da sé, nulla ma la testa, il collo, le braccia di Lei che si mostravano al disopra del drappo, gl'incussero per me un improvviso rispetto; credette a una banale avventura, si fermò anche meno del solito ed al momento di andarsene mi strizzò un occhio e col pollice e l'indice destro raggomitolati e uniti fece l'atto di arricciare all'angolo della bocca un baffo immaginario: si congratulava.

Ho parlato di venti giorni passati insieme; non vorrei però che tu credessi che per queste tre settimane essa ed io abbiamo vissuto "maritalmente" come si dice avendo in comune letto, tavola e divertimenti. Le assenze di Lighea erano frequentissime: senza farne nessun cenno prima essa si tuffava in mare e scompariva talvolta per molte ore. Quando ritornava, quasi sempre al primo mattino o m'incontrava in barca o se ero ancora sulla spiaggia essa strisciava sui ciottoli metà fuori e metà dentro l'acqua, sul dorso, facendo forza sulle braccia e chiamandomi perché la aiutassi a salire il pendio. "Sasà" mi chiamava perché le avevo detto che tale era il diminutivo del mio nome. Così, impacciata da quella parte stessa del suo corpo che le conferiva nell'acqua divina scioltezza, essa presentava un aspetto commovente di bestia ferita che il riso degli occhi smentiva invano. Riguardo alla mensa essa non mangiava che roba viva; spesso la vedevo emergere dal mare, il magnifico torso luccicante al sole mentre straziava con i denti un pesce argenteo che fremeva ancora; il sangue le rigava il mento e dopo qualche morso la triglia o l'orata maciullata veniva ributtata dietro le spalle e maculandolo di rosso affondava nel mare mentre essa magnificamente rideva nettandosi i denti con la lingua. Una volta le diedi del vino: nel bicchiere le fu impossibile bere: dovetti versarne un po' nella palma minuscola ed appena appena verdina ed essa lo bevette facendo schioccare la lingua come un cane mentre negli occhi le si dipingeva la sorpresa per quel gusto nuovissimo. Disse che era buono, ma dopo lo rifiutò sempre. Talvolta ritornava con le mani piene di ostriche e cozze; mentre io faticavo ad aprirne i gusci con un coltello essa le schiacciava semplicemente con una pietra e succhiava il mollusco palpitante insieme a briciole di conchiglia cui non badava minimamente.

Te l'ho già detto, Corbera, un animale era; ma era anche una Immortale ed è peccato che parlando non si possa continuamente esprimere questa sintesi che essa nel suo corpo manifestava con meravigliosa semplicità. Non soltanto nell'atto d'amore essa mostrava una foga e una delicatezza più che umana ma il suo parlare era di una immediatezza potente che ho ritrovato solo in pochi grandissimi poeti. Non si è figli di Calliope per niente: all'oscuro di tutte le culture, ignara di tutte le saggezze, sdegnosa di ogni costrizione morale, tuttavia essa faceva parte della fonte naturale di queste entità, ed esprimeva questa sua primigenia superiorità in termini di scabra bellezza. "Sono tutto perché sono soltanto corrente di vita priva di accidenti; sono immortale perché tutte le morti da quella dell'orata di dianzi a quella di Zeus confluiscono in me e diventano vita non più individuale e determinata, ma pànica e quindi libera." E poi diceva: "Tu sei bello, e giovane e forte; dovresti seguirmi nel mare adesso ed eviteresti dolori, vecchiaia, miseria, morte; ti porterei nella mia dimora, al disotto degli altissimi monti di acque immote ed oscure, dove tutto è silenzio e pace così connaturata che non si avverte neppure. Io ti ho amato e ricordatelo quando sarai stanco, quando non ne potrai proprio più non avrai che da curvarti sul mare e chiamarmi: io sarò sempre lì, perché sono dappertutto, e il tuo sogno di pace sarà saziato."

Mi narrava della sua vita sotto i mari, delle glauche spelonche, dei tritoni suoi compagni, dei pesci fosforescenti; ma diceva che anche queste erano vane apparenze e che la verità era ben più in fondo nel cieco, muto palazzo di acque, senza forme, senza luce, senza rumori. Una volta, eccezionalmente, mi avvertì che sarebbe stata assente a lungo sino al giorno seguente. "Devo andare lontano, là dove so che troverò un dono per te." Ritornò l'indomani verso sera con un lunghissimo ramo di corallo purpureo incrostato di conchiglie e muffe marine. L'ho conservato a lungo in un cassetto, e ogni sera baciavo quei posti sui quali ricordavo che si erano posate le sue dita. Una volta, poi, la Maria, quella governante mia che precedette la Bettina, me lo rubò per darlo a un suo ganzo. L'ho rivisto poi da un gioielliere sul Ponte Vecchio, così lisciato, ripulito, sconsacrato da esser quasi irriconoscibile. Non l'ho ricomprato perché ormai era passato da troppe mani profane.

Mi parlava anche dei molti amanti umani che aveva avuto nella sua adolescenza plurimillenaria, pescatori e marinai greci, siciliani, arabi, alcuni naufraghi su rottami sballottati cui essa apparve un attimo per trasformare in giubilo il loro ultimo istante. "Tutti hanno seguito il mio invito: tutti sono venuti a ritrovarmi, alcuni subito, altri dopo molto tempo. Uno solo non si è fatto più vedere: era un bel ragazzone dai capelli rossi e dalla pelle bianchissima col quale mi unii su una spiaggia lontana, là dove il nostro mare si unisce al grande Oceano fra rupi e montagne; odorava di qualcosa di simile ma di più forte di quel vino che mi hai dato l'altro giorno. Credo che non si sia fatto più vedere perché quando c'incontrammo era talmente ubriaco da non capir più nulla. Gli sarò sembrata una delle sue solite pescatrici effimere."

Quelle settimane della grande estate passarono rapide come un solo mattino; ma quando furono passate mi accorsi che in realtà avevo vissuto millenni. Quella ragazzina lasciva, quella bestiola crudele era stata anche una Madre saggissima che con la sua sola presenza aveva distrutto credenze, dissipato metafisiche, con le ditina fragili spesso insanguinate mi aveva mostrato la via verso gli autentici eterni riposi, verso un ascetismo di vita derivato non dalla rinunzia ma dalla sazietà. Non io certo sarò il secondo a non ubbidire al suo richiamo: approfitterò di questa specie di Grazia pagana che mi è stata concessa.

In ragione stessa della sua violenza quell'estate fu breve. Un po' dopo il venti le prime timide nuvole apparvero in cielo, qualche tiepida goccia isolata cominciò a cadere. La notte, sul lontano orizzonte, vi fu un concatenarsi di lenti, muti lampeggiamenti che si partorivano l'uno dall'altro, come le cogitazioni di un Dio. Al mattino il mare color di tortora, come una tortora tubava per sue irrequietudini arcane; ed alla sera s'increspava, senza che si percepisse brezza, in un digradare di grigi fumo, di grigi di acciaio, di grigi perla, soavissimi tutti e più cari alla vista del suo prepotente splendore di prima. Lontanissimo, brandelli di nuvole scure lambivano le onde: forse sulle coste greche pioveva di già.

Lighea mutava anch'essa di umore: taceva più spesso, si allontanava meno, passava ore distesa su uno scoglio a scrutare l'orizzonte lontano. "Voglio restare ancora un poco con te; se andassi al largo adesso i miei compagni del mare mi tratterrebbero e sarebbe difficile ritornare. Li senti? Mi chiamano." E davvero mi sembrava udire una nota differente fra gli squittii dei gabbiani, notare...

INDICE

Stampa Grafica Sipiel
Milano, marzo 1996